世界最凶都市 ヨハネスブルグ・リポート

小神野真弘 著

彩図社

ヨハネスブルグ最大のタウンシップ（黒人居住区）・ソウェト

大麻を育てている世帯もある

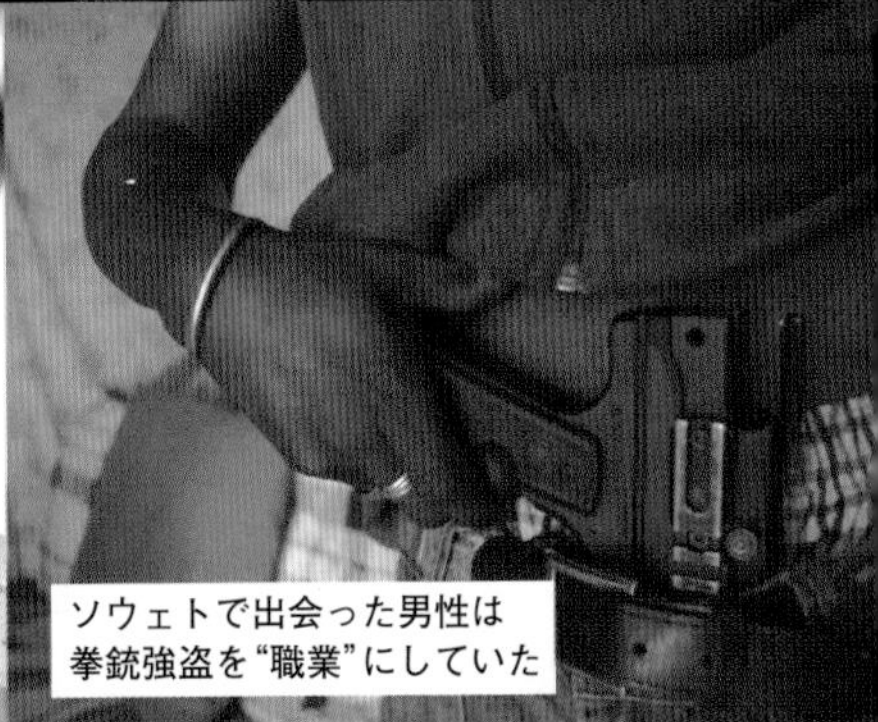

ソウェトで出会った男性は
拳銃強盗を“職業”にしていた

バラック小屋の内部

地方都市で勃発した民衆のデモ。暴動に発展し、大勢の逮捕者を出した

フロントガラスを大きく破損したパトカー

暴徒の男性は「俺たちは人間だ」と絶叫する

住民と衝突する警官隊

都市のあちこちの道路は障害物で通行不能

殺伐とした空気の中、ソウェトの自警団の麻薬中毒者取り締まりに同行した

南ア全土に蔓延する麻薬・ニャオペ

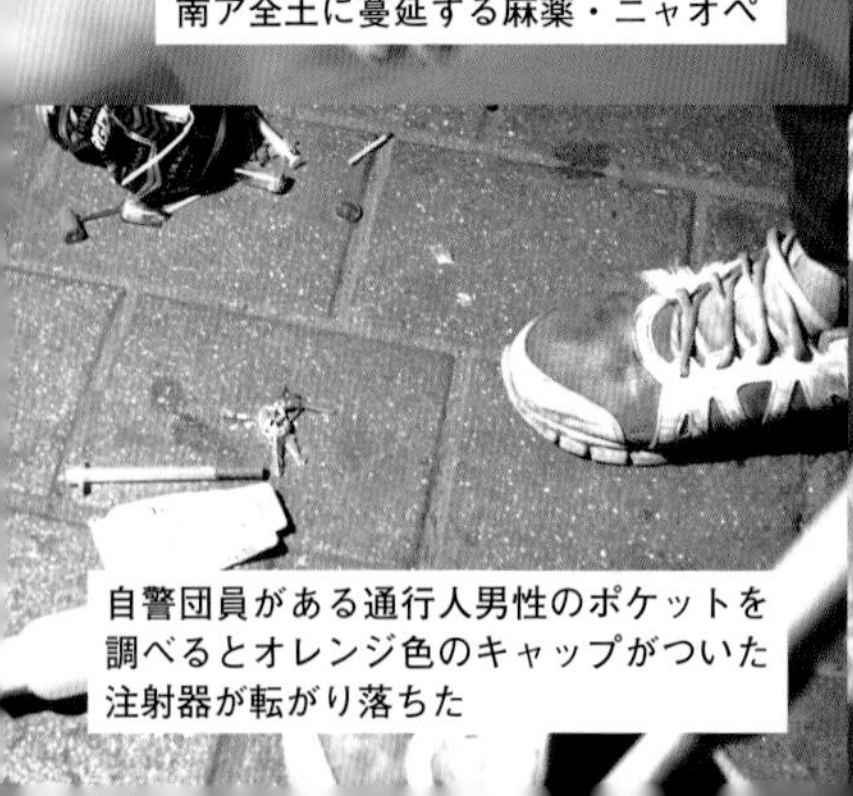
自警団員がある通行人男性のポケットを調べるとオレンジ色のキャップがついた注射器が転がり落ちた

ニャオペを摂取した中毒者。こののち、彼は失禁した

世界最凶都市
ヨハネスブルグ・リポート

小神野真弘

彩図社

はじめに

「まず、全速力で床に身を投げてください。ポイントは、足が問題の物体の方へ向くようにうつぶせになること。あ、足はしっかり閉じて下さいね。爆発と同時に無数の破片が飛び散るので、股間に当たってしまいます。男性でなくても痛いですし、内臓が近いので致命傷になりがちです。これが手榴弾を投げ込まれたときの基本的な対処。参考までに射程距離をお伝えしておくと、今この教室の真ん中に投げ込まれたら、私たちは全員死にます」

米軍在籍時代はシリアやアフガニスタンを転戦し、現在は報道機関向けのセキュリティ・コンサルタントをしているという講師の淀みない説明を、私を含めた20名ほどの学生がハニワのような表情で眺めていた。

２０１８年6月、ニューヨークのど真ん中、タイムズスクエアから歩いて5分の場所にあるニューヨーク市立大学ジャーナリズム大学院。そのミーティング・ルームで開かれた、インターンに従事する学生を対象とした安全講習会でのことだった。

「この学校はあたしたちに何させようとしてんのさ」

隣に座っていたブラジル人のポーラが呆れ顔でつぶやく。

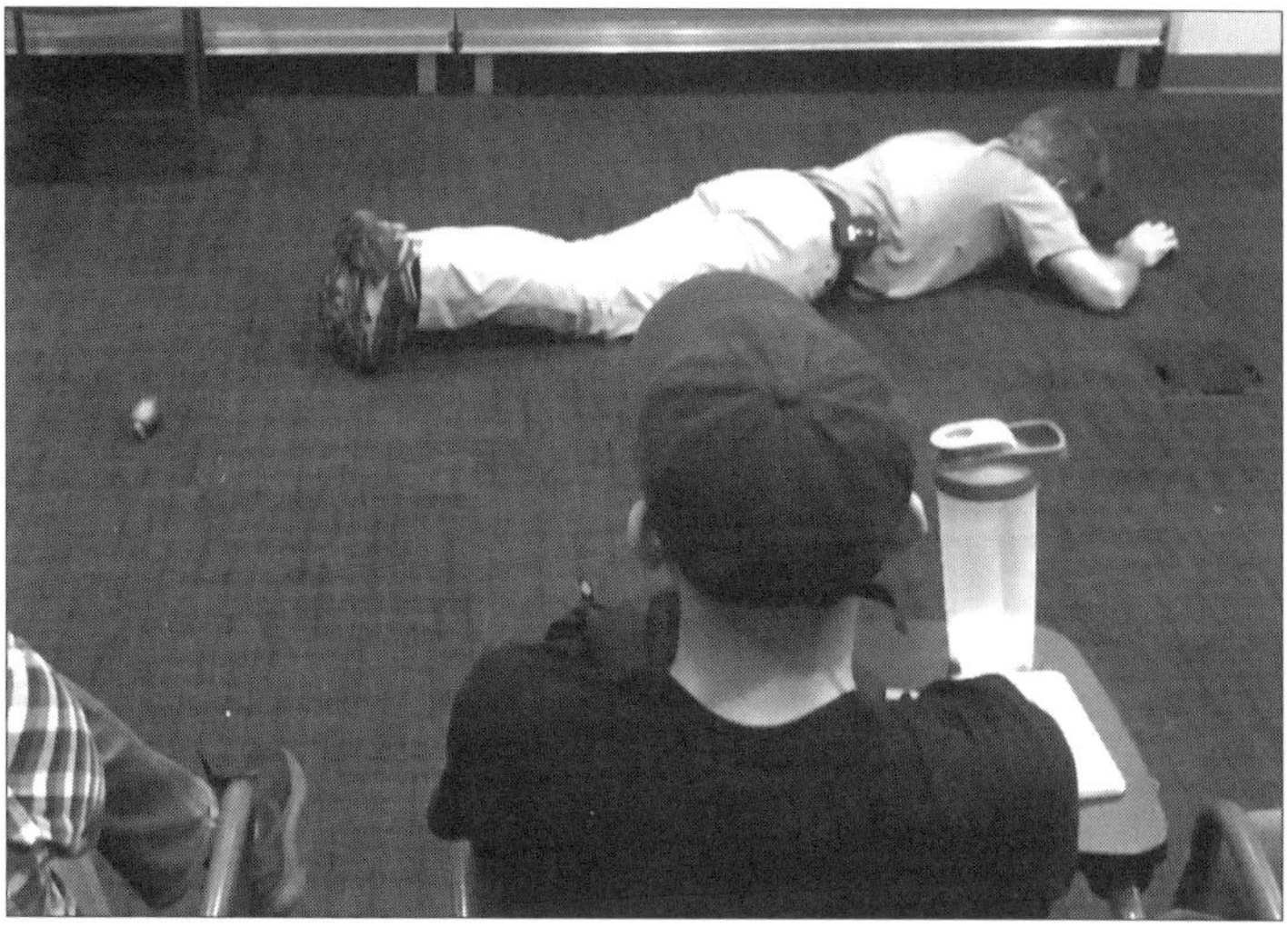

手榴弾の回避方法を説明する講師。爆発の際は気圧が急激に変動するので、鼓膜が破れるのを防ぐために口を大きく開けておくのも重要だという

まったくもって同感だった。手榴弾の対処に加えて講習で叩き込まれたのは、火器で襲撃された際に生存率を上げる方法、銃やナイフの傷の止血、車のトランクに閉じ込められたときの脱出方法、安全な水を確保できない状況で腸から水分をとる方法、メールや取材データを暗号化する方法、賄賂を求められたときの正しい対応、「火炎瓶を投げる人に近づくときは、瓶を振りかぶったときに火種が外れて、火のついたガソリンを浴びる事故が珍しくないので、相手の利き手の反対側に立ちましょう」というのもあった。

火炎瓶を投げる人間の利き腕を知っておくべき状況に遭遇するインターンとはどういうものなのだろう。

とはいえ、確かにその場にいた学生たちはやや特殊な立場だった。

そもそもアメリカの大学院は、日本の一般的な「学校」のイメージとは少し異なる。特にジャーナリズムの大学院は教育機関というより訓練施設の性質が強く、座学はほとんどないし、学生たちの主な活動は取材して記事をつくること。教授陣は現役記者や編集者が大勢を占め、課題は商業出版と同等以上のクオリティでなければ罵倒とともに突き返される。それを「絶対に無理」と思うような量とペースでこなすのを卒業まで延々と繰り返す。

だから学生もジャーナリストとして働いていた経歴を持つ者が多かった。先述のポーラはブラジルでニューヨーク・タイムズの特派員をしていたし、私の前に座っていたアダムはFOXニュースのディレクター、その隣で頬杖をついているアイヴァンはアフガニスタンの戦場で写真を撮り続けていた。この場にいるほとんどが学生であると同時に現役のジャーナリストなのだ。私自身、朝日新聞出版社のAERA dot.というニュースサイトで記者兼編集者をしていて、仕事を中断してこの学校にやってきた。

この場にいる面々のもうひとつの共通点は、インターン先が海外の報道機関であることだ。学校のカリキュラムの一環で、2ヶ月間のインターンが必須とされていた。学校全体でみればニューヨークやワシントンD.C.のメディア企業に赴く者が多数派だが、国際報道を専攻している者はアメリカ国外で働かなければならない決まりだった。

そう考えると、このけったいな〝安全講習会〟も無駄でないと思えてくる。

アダムはレバノンに行く。アイヴァンはアフガニスタンだ。ジャーナリストの殺害と失踪が相次いでいるメキシコの国境地帯に赴く者も数名いた。そして私は、南アフリカ共和国のヨハネスブルグに行くことが決まっていた。

何が起きても不思議じゃない、そういった意味でこれも清く正しいインターンなのかもしれない。悪戦苦闘もするだろう、人間的に〝一回り成長〟もできるかもしれない。無事に帰れればの話だが。

講習から6時間後、私を乗せた旅客機はＪＦＫ国際空港からつつがなく離陸した。目的地はタンボ国際空港。「世界で一番危険な都市」の悪名高いヨハネスブルグの玄関口だった。


胸いっぱいに空気を吸い、呼吸ができている事実に感動し、感涙している人がいたら、ドラッグをやっていると思うだろう。少なくとも私は思う。

当たり前のものに人はありがたみを感じない。いかにそれが尊くとも、慣れ親しむうちに不感症になっていく。水、ワクチン、生活の安全、民主主義……。10万人あたりの年間殺人件数が1を切り、戦後民主主義が老成の域に達した日本で、それらのありがたみを感じる機会が多くないのは実にわかりやすい例だ。

南アフリカはどうだろう。

水やワクチンはさておいて、生活の安全はきわめてシリアスな問題だ。

２０１８年の10万人あたりの年間殺人件数は35・2と、実に日本（０・７）の約50倍。とくに最大の都市であるヨハネスブルグの治安の悪さは折り紙付きといわれる。

その異名は「世界の犯罪首都」もしくは「リアル『北斗の拳』の世界」。

いわく、赤信号で停車すると銃撃されるため、交差点は赤であろうと突っ切るべし。

いわく、腕時計をつけていると手を切り落とされて強奪される。

いわく、「何も持たなければ平気だろう」と宿を出て行った旅行者が、服と靴を強奪されて裸で戻ってきた。

いわく、都市中心部で強盗に遭う確率は150パーセント（歩けば100パーセント強盗に遭い、その後、安全な場所にたどり着く間に再び強盗される確率が50パーセントの意）。

ネットで検索すればいくらでもこんな噂が目に入る。冷静に考えればそんな状況下で社会生活が成立するはずはなく、面白おかしく盛られたデマであることは明らかなのだが、逆に言えばデマを盛るための基部となる、具体的な危険は確かに存在するということだ。

実際、世界的な調査会社ギャロップが毎年発表している「世界危険都市ランキング」2018年版において、ヨハネスブルグは6位につけた。古い話だが、2010年サッカーW杯開催の折には、治安の問題からNHKと民放キー局が女性アナウンサーの派遣を見送ったという事実もただごとではない。

そして民主主義。

いまや水や空気と同じくらいありふれたものとみなされるこの思想は、南アフリカでは比較的新しいものだ。

奴隷制に並ぶ人道的犯罪と呼ばれた人種隔離政策「アパルトヘイト」。この政策の撤廃とともに、人口の約8割を占める黒人たちは民主主義を手に入れたわけだが、それは1994年のこと。この国の民主主義には四半世紀の歴史しかないのだ。

ならばその理想を体現する「健全な政治」が維持されているかといえばむしろ逆で、ほぼ毎日のように為政者たちの汚職が報じられ、血縁や出身民族による談合・利益誘導は当たり前。2018年2月にはジェイコブ・ズマ大統領（当時）が政治スキャンダルから罷免され、国のトップがすげ変わっている。

市民の暮らしぶりも、平等とはいえない。

アパルトヘイトの撤廃によって、肌の色に関わらず、すべての人に教育や雇用といったあらゆるチャンスが開かれたはずだった。が、高等教育を受けられる黒人は少なく、白人の平均収入は黒人の4倍であり、格差が縮む気配はない。出口のない貧困は、結果としていまも人種間の憎悪を焚きつける最大の火種だ。

とはいえ、これらはすべてメディアや人からの聞きかじりであり、私が南アフリカについて知っているすべてといえた。

そうした社会で、人はどんな意識で生きているのかを知りたかった。ネットを中心に流布している「リアル『北斗の拳』の世界」といった噂がどの程度本当であるのか、そしてアパルトヘイト終焉からの四半世紀で、社会がどの程度変わったのかを検証したかった。ひいては、日本やアメリカといった〝先進国〟で漠然と消費される「安全」と「自由」の価値を、具体的な形で見つめ直せるのではないか、という願望があった。これが、私が赴任先として南アフリカを選んだ理由である。

そのためには自分自身がそこに身を置く以外に道はない。それも、土地の人々と関係を築き、ともに語り、食べ、働くことなくしては理解のとっかかりすら得られない。地元新聞の記者として活動ができるインターンは、願ってもいない話だった。

さまざまな人に出会った。

同胞たちが暴動と略奪に手を染めるなか、スラム暮らしの少女は、為す術なく傍観し、「みんながみんな間違っている」と涙を流した。

誠実で、どこまでも親切だった白人農夫は、黒人差別を「彼らに対する配慮」と語り、信念のもとに搾取をしていた。

殺鼠剤入りの麻薬に溺れる黒人の若者は、ネルソン・マンデラの偉業を呪い、「誰を憎めばいいいか、わからない社会になってしまった」と絶叫した。

彼らが抱く心情を、真に理解ができたなど、口が裂けても言えはしない。土地と、社会構造とに紐付けられた血の記憶を、異邦人が共有する方法などないのだから。

ゆえに、自分が何を見て、何を思ったのかを愚直に記していこうと思う。インターンに従事した70日余りと、その9ヶ月後におこなった1ヶ月間の追加取材。本書は、南アフリカについて右も左もわからなかった日本人が、驚き、ビビり、打ちのめされ、ときに心踊らせながらその社会の理解を試みた、約100日間の報告である。

世界最凶都市ヨハネスブルグ・リポート　目次

第3章　白人の世界

第4章　暴発する憎悪

第5章　ヨハネスブルグ再訪

第1章　ヨハネスブルグの治安を検証する

電流フェンスと押し込み強盗の街

朝が来た。燃えるような赤が東の空に滲み出し、闇に沈んだ地平に色を与えていく。見慣れない、心にさざ波を呼ぶような、それでいて目を逸らせない美しさを伴った朝焼け。アフリカの夜明けだった。

そんな光景を、寝不足の目をこすりながら飛行機の窓から眺めていた。

寝不足だった理由は、隣に座った黒人の中年女性が豪快ないびきをかき続けていたのに加え、離陸直前に受信した一件のメールに怖気づいてしまって一睡もできなかったためである。

送り主は南アフリカ出身の男性と結婚されている日本人女性のYさん。南アでのインターンが決まった当初はどこに住めばいいかもわからない有り様で、治安が比較的いい場所や家賃の相場、一般的な交通手段などを現地に詳しい彼女に尋ねていたのだ。基本的な情報はすでにいただいていたが、今回のメールは毛色が違った。

「先日、ヨハネスブルグ郊外にある高齢者ホームに午前3時頃侵入者があり、義母の部屋に押入られ、貴重品が盗み出されました。

義母は目が覚めたそうですが、人影に気付いた後は寝たふりをして事無きを得ました。

ホームから連絡があった後、親類内では、殺されなくて良かったと皆へたり込みました。直後は義母のショックが大きく、どうなるかという状態でしたが、有難いことに現時点では落ち着いています。

ホームの夜中の見回りの間髪を突く強盗だったという事、外部フェンスが一部破壊されて、そこからの侵入という事で、義母の入居状況が何処からか見られていた計画的なものだった様子です。小神野さんとのやり取りがあったので、私もショックでしたが、こういう状況では、抵抗する事なく貴重品を渡し、命を守ってください」

ものすごく帰りたい気持ちになった。

南アの情報を調べていれば強盗や殺人のニュースなど毎日数えきれないほど飛び込んでくるのだが、人というのは難儀なもので、そうしたメディアを介した情報はあくまで統計として処理してしまう。しかし、こうして知人の肉親の体験談として耳に入ると実にリアルな不安が迫り上がってくる。

Yさんいわく、ヨハネスブルグではこうした危険は珍しいことではない。出先であっても同様で、限られた一部のエリアを除けば、たとえ日中であっても徒歩は避けるべきだという。歩かざるを得ないときは猛獣の檻のなかにいるつもりで、というのが基本のスタンス。「歩けない街」なんてどういうことだと思うが、それを象徴する体験談も聞いた。

Yさんが旦那さんとお付き合いを始めた頃のことだ。おどろかせてやろうと後ろから「わっ」

と飛びついたところ、力一杯返り討ちにされそうになった。旦那さんの額には青筋が立ち、目は見開かれた極度の緊張状態。そして「南ア人を後ろからおどろかそうなんて絶対してはいけない。襲われたと思って条件反射で反撃するから」と念を押された。

殺人を屁とも思わない犯罪者がうろうろし、犯罪者ではない人々はゴルゴ13並の警戒心を欠かすことなく生きる街。普通の人間はいないのだろうか。こんなところでやっていける自信がまったくなかった。

懊悩する私をあざ笑うかのように、時速800㎞でぐんぐんヨハネスブルグは近づいてくる。呼応するように、ぐんぐん膨んでいくプレッシャーを感じていた。

「あら、もう着いたの！　それじゃあ迎えにいくわね。空港に着いたら携帯を鳴らすから！」

と、底抜けに陽気なエリザさんの声を電話越しに聞いてから3時間が経った。エリザさんは、この日宿泊することになっていたホテルのオーナーだ。

携帯の電話番号を聞いておくべきだった。ホテルにかけても、呼び出し音が鳴り続けるばかり。すでに空港に向かっているようだ。

問題は、ホテルから空港まで、多く見積もっても車で40分程度であることだ。「超」がつく安全運転を信条にしているのか、カージャックにでも遭ったのか。この街では後者の可能性の方が高いのが泣けてくる。

ヨハネスブルグの玄関口、O・R・タンボ国際空港。反アパルトヘイトの英雄であるオリバー・タンボの名にちなむ

しかたなく空港の周囲を散策する。大量の荷物を抱えていた。トランクにカメラバッグ、バックパッカーが持つような背嚢《はいのう》。そのなかにはスチルカメラにビデオカメラ、360度カメラがそれぞれ1台、レンズは5本、PCなど。強盗からすればボーナスステージのような装いだが、空港の敷地内なら襲われることはない、という根拠のない願望にすがりながら。

エントランスを出て、最初に感じたのは肌寒さだった。私が到着した6月は、南半球に位置する南アフリカでは真冬にあたった。零下になることはあまりないものの、朝方はダウンジャケットが欲しくなる冷え込みをみせる。そして、乾燥した土埃の香りが鼻をついた。

土地にはその土地独自の香りがあるといわれる。例えば、初めて日本に来た人や、しばらくぶりに帰国した人は、飛行機から降りたときに醤油の匂いを感じるそうだ。私はインドに行くとスパイスの匂いを覚える。「何の匂いもしない」という人もいるので、もしかしたら土地のイメージが抱かせる錯覚なのかもしれないが、そのとき感じる香りはその国や都市の象徴的なものを連想させることが多い。

ヨハネスブルグのそれは鉱山を連想させた。

南アフリカの2018年の名目GDPは3680億ドル（日本は約4兆9711ドル）。2014年にナイジェリアに抜かれ第1位から転落したものの、長年にわたりアフリカ大陸屈指の経済大国の地位を維持している。その発展は、まさに鉱山によってもたらされた。金やダイヤモンドの宝庫であり、かつては世界の金の半分以上を産出していた。そしてヨハネスブルグこそ、同国の金の採掘を牽引してきた鉱山の街なのだ。一方でそうした富に引き寄せられ、ジンバブエなどの近隣国から仕事にあぶれた人々が不法移民として流入し、その一部が麻薬を売ったり、人間を殺したりするから治安が悪化するという構図もあるのだが。

タンボ国際空港は成田や羽田と比べても遜色ないくらいに立派な空港だったが、タクシーレーンの周囲は閑散としていた。時間が悪いのだろうか、どんよりした曇り空のした、数名の運転手たちが車に寄りかかって退屈そうにあくびをしている。

低い気温、曇天、寝不足、先行きの不安、そういったものが相まってとてつもなく陰鬱な気分だった。このままエリザさんが姿を現さなかった場合、私はどうするべきなのだろう。Yさんに頼ることはできなかった。すでに移住し、ヨーロッパで暮らしている。インターン先の職場に頼るのも難しい。この日は週末で、オフィスは閉まっているはずだし、受け入れの担当者はメールアドレスしかわからない。

現実的な線は別のホテルを新たに予約することだがあまり気が進まなかった。エリザさんのホテルにしても、立地や送迎の有無、料金など、調べに調べを重ねて選んでいる。送迎はとくに重要で、空港でタクシーを拾ったらそのまま荒野に連れ去られ、身ぐるみを剥がされて置き去りに、という話も聞く。そしたら警察署にいくためにまたタクシーに乗らなければならないし、その運転手がまた身ぐるみを剥がしてくる可能性がある。

などと箸にも棒にもかからないようなことを考えているときに携帯が鳴った。4時間前に聞いた陽気な声。平常時なら絶対にいらいらするであろう「寄る所があって遅れちゃった」というふわふわした弁明が、このときは無性に嬉しかった。

エリザさんのカローラが、タクシーレーンの端に停まっていた。

ヨハネスブルグには「行ってはいけない場所」が3つある。

ひとつはCBD。セントラル・ビジネス・ディストリクトの頭文字をとったもので、市域の中央のやや南寄りに広がる、高層ビルが集中するエリアだ。アパルトヘイト時代は白人しか住めない区域で、国内外の大企業がオフィスを構えていたが、アパルトヘイト末期になると黒人が移り住みはじめ、同時に治安が悪化していった。大企業は軒並み郊外に移転してしまい、空洞化が進んだ市街ではギャングたちが跋扈《ばっこ》しているとか。

もうひとつはヒルブロウ。CBDの北側に隣接しているため、状況は似ている。かつてはヨハネスブルグ随一の繁華街だった。このエリアを特徴づけるのはなんといってもポンテタワーだ。54階建てと、住居用ビルとしてはアフリカ一の高さを誇るこの建物は、「世界一の高層スラム」という悪名の方が有名かもしれない。当初は「白人の富の象徴」と呼ばれたが、ギャングに占拠され、その根城と化した。麻薬売買、売春、殺人が横行し、ヨハネスブルグのカオスを集約したような有様で、「爆破した方が世のため人のため」ともいわれた。現在、タワーの治安は回復しているが、ヒルブロウ自体はまだまだ危険であるという。

そしてアレクサンドラ。ヨハネスブルグの北東に位置するこのエリアは、CBDやヒルブロウとは毛色が違う。その成り立ちから「タウンシップ」と呼ばれる黒人居住区だった。有名なソウェトを始め、タウンシップは南ア全土に存在するが、アレクサンドラは国内でも最も貧しいエリアのひとつとされ、バラック小屋が乱立するスラム然とした街並みが広がる。やはり治安が悪く、そのニックネームは「ゴモラ」。旧約聖書の「創世記」で、その悪徳と頽廃から神によって滅ぼされた都市の名だ。

というようなことを、空港からのハイウェイを軽快に飛ばしながらエリザさんが語ってくれた。ちょうどCBDのビル群が遠くに見える。「あそこに行ったら死んじゃうわよ」などという不穏極まりないことも陽気な口調でいうものだからリアクションに困る。

陽気に感じるのは彼女の人柄だけでなく、英語のイントネーションのせいでもあるようだ。エリザさんは南ア生まれの白人で、歳は50代半ば。南アの白人は大きくアフリカーナー（オランダ系）とイギリス系に分かれ、彼女は前者だ。アフリカーナーは古くからアフリカーンス語という独自の言語を使っていた。現在、多くのアフリカーナーは英語とアフリカーンス語両方を話すが、彼らの英語はアフリカーンス語の影響からか、発話の途中から語尾にかけて音程が高くなっていき、歌うように伸ばしているみたいに聞こえる。標準的な英語というのは存在しないので一概に述べるのは難しいが、ニューヨークでよく聞かれる英語と比べると、ちょうど茨城弁のような朴訥《ぼくとつ》さ、ほのぼのとした明るさを感じる。私自身、茨城県の出なのでなんとも懐かしい気分になった。

ホテルはメルヴィルというエリアにあった。

さきほどエリザさんが教えてくれたようにヨハネスブルグには「行ってはいけない場所」がいくつもある。私の感覚ではそもそもヨハネスブルグ自体が行ってはいけない場所なのだが、ともあれそこで暮らさざるを得ないのならば、「行っても多少は平気な場所」を見つけなければならない。ヨハネスブルグ郊外には白人（と少数、裕福な黒人）が固まって暮らす住宅街が散在しており、そこは比較的治安がいいという。メルヴィルもそんな場所のひとつだった。

曇天はいつの間にか晴れ渡り、常緑樹の並木が日差しに輝いていた。メルヴィルは閑静で、居心地の良さそうな場所だった。

メルヴィルの町並み

しかし一点、ひじょうに気になったことがある。一軒残らず、すべての住宅が重警備の刑務所のような電流フェンスで囲まれているのだ。

エリザさんいわく、「強盗対策よ。死にはしないけど、しばらく動けなくなるから触っちゃダメ」。

これは比較的治安がいいというより、治安は悪いのだが電流で自衛することでなんとか生活できる水準を維持しているだけなのではないだろうか。

ホテルの部屋にたどり着くと全身の力が抜けた。緊張と不眠で疲れ果てていた。荷解きすらほっぽりだしてベッドに身を横たえると、即座に湧き上がってくる眠気。外から見れば物々しい電流フェンスも、内側に入ってしまえば安全を保証してくれる。しみじみと頼もしいと思う一方で、疑問もある。

電流フェンス。不法侵入を防ぐため、ほとんどの住宅が備えている

ここまでしなければ本当に生活ができないのだろうか。メルヴィルに入ってから少なくとも50軒は住宅を目にしたが、文字通りすべての家に電流フェンスが張り巡らされている様子は物珍しいを通り越してもはや異様だ。犯罪対策はフェンスだけではない。チェックインの際、私はカギを４つ渡された。門、玄関の外ドアと内ドア、そして自分の部屋のカギ。さらに午後10時を過ぎると、警備会社につながっている赤外線センサーが敷地の各所でオンになるので、出入りの際にはパスワードを打ち込んで一時的に解除しなければならない。失礼ながら、私の感覚ではかなり不自由な暮らしに思えた。長く住んでいれば慣れるものなのだろうか。

ふと、窓の外をみる。電流フェンスが視界に入る。景色が楽しめないのが玉に瑕《きず》だな、などと思いながら目を閉じようとしたところ、電流を帯びているはずの鉄線をすり抜けて、一匹のネコが侵入してくるのが見えた。「にゅるり」と擬音がつくような動きで、明らかに鉄線に触れながら。もうどうでもよかった。意識が急速に落下していった。

相棒、リチャード・ロリア

私のインターン先である新聞社「メール&ガーディアン」は、地上3階・地下2階からなる複合施設の1階にあった。この建物、オフィスビルというより構造的にはショッピングセンターに近いのだが、華やぎが一切ない。外壁にはほとんど窓がなく、内部のテナントがわからないようになっているからだ。治安上の理由らしい。

ひとつしかないエントランスにはガードマンが睨みを利かせていて、カード認証でロックを外して入館すると吹き抜けになった中庭が広がる。樹木やベンチが配され、陽光が降り注ぐ憩いの場といった風情。それに面して、メール&ガーディアン編集部へと続くドアがある。

まず受付。いつもピチッと化粧をした黒人女性が迎えてくれる。受付の傍のソファでは、なぜか寝巻きのような格好をした黒人のおっさんが1人、一日中ぼうっとしているのだが、結局何者なのか知る機会がなかった。ガードマンかもしれないが、目の前で銃撃戦が始まってもただ眺めていそうな無気力ぶりで、話しかけても大抵反応がない。

受付を奥に進む。まずは６名ほどが働くデザイナーのブース。ここは女性が多い。白人、黒人、インド系と人種も多様で、イスラム教徒の黒人女性テボフォは締め切り直前の修羅場であっても絶対に定時のお祈りを欠かさない。

その先には会議用の個室がいくつか並び、通り過ぎると記者たちの机が見えてくる。ＰＣに向かって忙しく原稿を書いている様子は日本の新聞社とまったく同じだ。常駐しているのは10名ほどだが、フリーランスなどの非常勤を合わせると20名ほどの所帯。男女比は半々、白人が６割、黒人とインド系が４割といった構成だ。それ以外にも南アの各都市に特派員がいて記事を送ってくる。

さらにオフィスを進んでいくと編集長と３名のデスク（一般的な企業でいうところの課長）が座る一画があり、そこを越えた最奥のブースが私に与えられた仕事場だった。

私の右側の机に座るオーパは歴戦のカメラマン。40代の黒人男性。事件が起こるとどこへでも飛んでいき、あらゆる物事に一瞬で決断を下す。荒々しく、力強い。まさに日本人がイメージする「アフリカの男」だ。

正面に座るのはデルウィン。彼もカメラマンで、年齢は30代、インド系。１９０㎝近い長身にして痩身、肩甲骨を超えるあたりまで伸ばした黒髪があいまって聖者のような風貌だが、中身もかなり個性的。ランチタイムに何人かで話をしていると、唐突に肉体的な死と精神的な死を区別するこ

メール＆ガーディアンのオフィス。たびたび停電に見舞われるためPCで動画編集をするマルコム（写真左）はいつも戦々恐々としていた

との重要性をとうとうと語り始めたりする。

デルウィンの隣にはマルコムがいる。23歳の黒人男性。ビデオカメラマン兼映像編集者をしている。郊外のタウンシップに住んでいて、毎日2時間かけて通勤する。これはメール＆ガーディアンのスタッフでは珍しい。南アの平均的な水準と比べれば新聞社の給与は高く、アクセスと治安の良い住宅街に住む者が多いからだ。とても無口で感情をめったに表に出さないが、単にコミュニケーションが苦手なだけだったと後々わかった。

背後の机に視線を移すとそこにはカールが座っている。40代の黒人男性で、記者をしている。ここはカメラマンや映像編集者のブースなのだが、「窓から空が見えるから」という理由で陣取ってしまった。カールはいわゆる「名物記者」だった。アフリカ大陸で最初のL

GBTをカミングアウトした黒人ジャーナリスト。南アや周辺諸国のLGBT文化や差別の問題を20年近くにわたって報道し続けており、ヨハネスブルグのゲイコミュニティでの知名度はひじょうに高い。女性と見紛う小柄な痩身、眉間に刻まれたシワから神経質そうな印象を受けるが、とても優しい笑顔を見せる。恋煩いや仕事の悩みを抱える若い女性社員にいつも囲まれていて、歯切れのよいオネエ口調（英語にもオネエのイントネーションがある）でアドバイスをしてやっている姿からは「姉御肌」を感じる。

というのが、私がインターンをすることになった職場のあらましである。

メール&ガーディアンは南アではかなり影響力のある新聞らしかった。

創刊はアパルトヘイト末期にあたる1985年。毎週金曜日に発行される週刊の英語新聞で、発行部数は約3万部。日本で一番発行部数の多い読売新聞は約800万部（2019年4月時点）なので、規模はたしかに小さい。ただ、日本の新聞を比較対象にするのは適切ではないかもしれない。日本は人口に対する新聞の発行部数がひじょうに多い例外的な国だ。例えば、知名度なら世界一であろうニューヨーク・タイムズでも54万部ほど（2017年）である。また、南アには公用語が11もあり、こうした多様性も一つひとつの新聞の発行部数が少ない理由だ（南アの公用語は英語、アフリカーンス語、ズールー語、コサ語、北ソト語、ソト語、スワジ語、南ンデベレ語、ツォンガ語、ツワナ語、ヴェンダ語。ただし多くの人は英語を話すため、人々の意思疎通は円滑。5、6言語を操る人も珍しくない）。

南アの他の新聞と同様、政治家や企業の汚職に紙面の多くを割いているが、それと並んでマイノリティや女性の権利、教育、文化・芸術についての記事にも力を入れているのが特徴。論調は徹底してリベラルだ。だからインテリ層や所得の高い人々に好まれるが、貧しい人が多いエリアでこの新聞の話をふると「ああ、あのお高くとまったファッキン新聞か」なんて声も聞こえてくる。

そして世界中の新聞がそうであるように、メール&ガーディアンもオンラインコンテンツの拡充を進めていた。特に躍起になっているのが動画ニュースの配信なのだが、制作体制はビデオカメラマンも映像編集者もマルコムただ1人とやや心細い。そのため欧米の教育機関から動画に強い記者をインターンとして招くことでノウハウの蓄積と、一時的ではあるが人材の補強に努めているというのが現状のようだ。

今回の場合、そうした〝助っ人外国人〟にあたるのが私、そしてもう1人、同じ大学院で学ぶアメリカ人、リチャード・ロリアだった。

編集部を初めて訪ねる日、私は無駄にそわそわしていた。

約束の時間の50分も前に到着してしまい、駐車場の隅っこでうろうろしながら事前に考えていた挨拶や自己紹介を反芻《はんすう》して過ごした。ヨハネスブルグだろうと東京だろうと、初めての職場を前にすると等しく人はナーバスな気持ちになることに新鮮な驚きを感じる。

理由は主にふたつ。

ひとつは、もちろん仕事について。

きちんと職場に馴染めるのか気になるし、与えられた職務をつつがなく遂行できるかどうかも不安だ。というのは、決まっているのはビデオカメラマン兼映像編集者として勤務するということだけで、具体的にどのように仕事を進めるか完全に未知数だったからだ。いきなり「明日までに一本映像つくってこい」といわれても、人脈も土地勘もない街ではかなりハードルが高い。

そしてもうひとつは、リチャード・ロリアである。

インターンで相棒となったリチャード

リチャードは白人で、歳は30。ワシントンD.C.で生まれ育ち、20代の頃は中国やフランスなどを転々として暮らしたため、英語に加えて中国語、フランス語、スペイン語が堪能。優秀であることは間違いないのだが、私は彼に苦手意識を抱いていた。

正確に述べれば、一部の「都会育ちの若いアメリカ白人」に苦手意識があった。ニューヨークで暮らし始めて抱いた感情だ。酒場で馬鹿話をするなら何の問題もない。だが仕事など、序列を明白にする必要がある状況においては、主導権を闇雲に保持しようとする押しの強さと、冷徹と感じるほどの人の切り捨ての速さを見せる者が一定数いて、なんとも相容れない。そして過去に一度だけ取材でコンビを組んだ際の印象から、リチャードもその手の人物だと思っていた。

インターン中は頻繁にコミュニケーションをとることになるだろうし、再びコンビを組むことも考えられた。正直なところ、メール&ガーディアンの人々よりもこの男とうまくやっていく自信の方がなかったのだ。

だから、約束の時間になり、インターンの受入担当者であるポール・ボーツに会い、挨拶もそこそこに先に編集部に来ていたリチャードと引き合わされ、「基本は自由に取材してくれ。テーマも自由。うちのサイトに載せてもいいし、他のメディアに売っても構わない。ただし、安全確保のために2人ひと組での行動を厳守すること」といわれたときは顔のひきつりを隠せなかった。リチャードは平然としていた。

ヨハネスブルグの危険なドライブ

ヨハネスブルグが「リアル『北斗の拳』の世界」かどうかはまだ判然としないが、確かにいえるのはこの街が徹底した車社会であるということだ。

鉄道やバスも存在するが、駅を中心にして商業施設やオフィスが広がるというような、いわゆる都心的なまちのつくりになっていないため、車がなければ文字通り何もできない。

「レンタカー屋に行こう」

編集部で合流した直後、リチャードが発した提案はもっともだった。

移動にはＵｂｅｒ《ウーバー》を使った。スマートフォンから手配できる配車サービスで、アプリに目的地を打ち込むと近くを走っているＵｂｅｒの契約ドライバーが拾ってくれる。賑わいのあるエリアなら数分で車がやってくるし、タクシーより割安なのも魅力だ。日本ではまだ一部の地域でしか導入されていないが、南アの都市部では必需品と呼んで差し支えない水準で普及しており、「日常の移動はすべてＵｂｅｒ」という人も珍しくない。

「銃撃されるからヨハネスブルグでは赤信号で停まってはいけない」という噂は、これによってデマであることが早々に証明できた。

そもそも信号自体が多くないが、交通量の多い交差点にはもちろん設置されており、赤になればすべての車がブレーキを踏む。南ア滞在中は毎日のように車に乗ったが、信号無視をするドライバーは最後まで見なかった。何人かの現地記者の話をまとめると、過去に赤信号で停まる車を狙うカージャックがあったことは事実だし、現在でも起こり得るが、信号無視を推奨するような風習は一般的ではない。

納得できる指摘はこれだ。

「交通事故のリスクの方が高い」（メール&ガーディアンのデルウィン記者）

Ｕｂｅｒでレンタカー屋に向かう道中、この赤信号の話をはじめとした「日本のネット圏におけるヨハネス伝説」をリチャードに語り聞かせていた。

渡航前はお互いに忙しく、ほとんど情報交換をしていなかったが、彼もメルヴィルに家を借りているそうだ。私もメルヴィルで賃貸住宅を探すつもりだったので、インターンの間は最初から最後までご近所さんということになる。

2人ひと組で仕事をする上では都合がいい。同時に、やはりというべきか、この男とうまくやっていけるのかという懸念は増大していくばかりだった。

というのも、私が日本のネットでヨハネスブルグがいかに恐ろしく、そして面白くおかしく語られているのかを熱弁しても、心ここに在らずといった感じで、聞いているのか聞いていないのか判然としない。

私としてはリチャード側からの情報を期待していたのだが、彼は沈痛な表情を浮かべているだけで、何のリアクションも発さない。プレッシャーに耐え兼ね、私の方から「何かあったのか」と尋ねた。

いわく、昨夜iＰｈｏｎｅをスられた。ブルーム・フォウンテインというエリアの繁華街に繰り出したものの、歩き回る間になくなっていた。機種変前の旧型も持ってきていたので生活に支障は

赤信号で停車しても銃撃されることはないが、物売りや物乞いが即座に集まってくるので注意が必要だ

ないが、買ったばかりだったので悲しい。そんな意味のことをぽろぽろと語った。

　可哀想ではあるが同情はできなかった。どんな街だろうとスリのリスクはある。私自身、新宿歌舞伎町にコマ劇場が存在した時代、その軒先で眠って目が覚めたら携帯電話がなくなっていたことがある。おまけにここはヨハネスブルグだ。もともと危険と悪名高く、そんな街を土地勘もない状態で夜間に出歩いたとなれば、スリ程度で済んだことを感謝すべきだろう。

　とはいえ、この話によって以前から抱いていた疑念が少し確信に近づいた。

　それは、日本人だけが過剰にヨハネスブルグを危険だと思い込んでいるのではないか、というものだ。少なくともアメリカ人は日本人が思うほどここを危険な街とは認識していない。リチャードだけの話ではない。赴任が決まり、アメリカの友人にヨハネスブルグに行く旨を伝えてもリアクションといえばせいぜい「遠いね」「サファリ行くの?」といったもので、治安の心配をされたことがない。一方で日本の友人に報告すると「今までありがとう」「葬儀には行くから」といった連絡が目立った。

このギャップが生じた理由はやはり、日本ではヨハネス伝説がある種のインターネット・ミームとして広く語り継がれているためと思われる。英語圏のネットでもヨハネスブルグの治安の悪さは時たま話題に上るが、「赤信号で停まると銃撃」「強盗に遭う確率150パーセント」といった定型化されたエピソードは聞かれない。

そこから導き出せるさらなる推論がある。日本人が思うほど、ヨハネスブルグの実際の治安は悪くないのではないかというものだ。

私としては夜間に出歩くのは自殺と同義と思っていた。しかしリチャードは実際に夜に出歩き、犯罪にあったとはいえ:iPhoneをスられた程度で済んでいる。となると実際のところは「多少は治安が悪いが注意して歩けば問題ない」くらいがこの街の実情ではないか。住宅を囲う厳重なフェンスも社会的な慣習のようなもので、Yさんのお義母さんが強盗に襲われたのもたまたま偶然の一致だったのではないか。

そんなことを考えているところに、リチャードがつぶやいた。

「本当にまいるよ。しかも落ち込んでいるところに、お前がますます不安になることをいう。とんでもなく危険な土地に来てしまったのかと後悔し始めた。実際、昨夜は窓の外から銃声が聞こえたし」

家ということはメルヴィルであり、メルヴィルということは私にとっても近所である。

レンタカー屋までの残りの道程を、私とリチャードは無言のまま過ごした。バックミラーに映る私の顔には、リチャードのそれと同一の、何かつらいことがあったような沈痛な表情が張り付いていた。

リチャードはそこを「ヨハネスブルグで一番安いレンタカー屋」といった。

一番安い理由は、看板にでかでかと書かれた店名で瞬時に理解できる。「Rent A Wreck」。Wreckは難破船とか、破滅とか、残骸とか、ガラクタといった意味で、直訳すれば「ガラクタを借りろ」である。ガレージに並ぶ車もその名に恥じぬ有様で、ホンダやフォードなどよく知られたメーカーのものが揃うものの、少なくとも21世紀に入ってからは見た記憶がないような旧型ばかりが埃をかぶって薄汚れていた。

なぜこんな店を選んだのか。節約はたしかに大事だが、ものには限度もあるはずだ。なにも快適なドライブを求めているわけではない。ただ、肝心な場面で走れなくなったり、エンジンがかからなかったりするのは困る。例えば武装強盗から逃走する際など。

そんな私の不安を意に介さず、リチャードはさくさくと手続きを済ませていった。

料金体系が特徴的だった。走った距離によって料金が変わる。例えば1週間借りる場合、約860円の基本料金を支払い、車を返す際に10㎞の走行ごとに約16円が上乗せされる。毎日100㎞走っても最終的な支払いは約2000円。ヨハネスブルグの物価は体感的に日本の3〜4割引きくらいだから、激安であるのは間違いなかった。おそらく廃棄寸前の車なので、走行距離を有限と捉えて切り売りしている感覚なのだろう。

支払いを済ませたあと、リチャードが思い出したように店員へ伝えた。

「オートマで頼む」

店員は「この人は何をいっているのだろう」という顔をした。

「オートマの車なんてないよ。全部マニュアルだ」

今度はリチャードが「意味がわからない」という顔。それを苦みばしった表情に切り替えて私にいった。

「俺、マニュアル運転できない……」

こういう状況でコンビプレーが活きてくるわけだ。私はマニュアルで免許を取得しており、国際免許証も持参していた。リチャードは「お前にばかり運転させるのは悪いから時間見つけて練習する。とりあえず当面運転頼めるか?」という。そういった気遣いは殊勝だし、彼ならコツさえ掴めば数日でマスターできるだろう。唯一の問題は、私が公道を走った経験は免許を取得してから1回のみであり、それが10年以上前であることだ。

マニュアル運転を練習するリチャード。周囲には電流フェンスで警備された住宅が並んでおり、エンストしている間に強盗されないか気が気ではなかった

とはいえ、頼まれたのだから挑戦するのが筋である。運転席に座ってみれば意外と全てを思い出すかもしれない。エンジンに火をいれ、サイドブレーキを下げ、そこでどうしても解消しなければならない疑問に直面し、脇で不安そうに眺めている店員に尋ねた。

「アクセルってどれですか？」

即座に運転席から追い出された。

結局、「Rent A Wreck」は店名こそ散々だが、面倒見のいい店員が揃った良い店だった。ある黒人の店員が助手席に座り、悪戦苦闘するリチャードにマニュアル運転を手取り足取り教えてくれたのだ。

電流フェンスに囲まれた住宅が並ぶ細い道を、化石のようなフォードが10メートル進むごとにエンストする様子は極めて珍妙な光景だったに違いない。

けれど、リチャードは頑張ったが、スクラップの領域に片足を踏み込んだクラッチの扱いをマスターすることはとうとうできなかった。

店員は根負けしたように「オートマの車を探してみるから少し待て」といい、3時間後に私たちは念願のオートマ車を手にすることができた。博物館に飾ってありそうな旧型のマツダ。寒い朝など3回に一度はエンジンがかからず、カーブのたびに車軸が不穏な軋みをあげるポンコツだったが、私たちは偉業を成し遂げたような喜びに包まれた。


いざオートマを運転させれば、リチャードのハンドルさばきは見事なものだった。「アメリカ人は車と一緒に育つんだ」と誇らしげに笑う。街並みが滑らかに背後へと消え去って行く。

これからの取材の道筋を組み立てなければならなかった。インターンの受入担当者、ポールは「自由に取材しろ」といった。正確には、メール&ガーディアンの他の記者の取材に同行し、ビデオを撮影・編集するという業務も時折発生するとのことだったが、一番比重の大きな仕事はこの「自由取材」になると考えるべきだろう。

アパルトヘイト撤廃後の社会がどのように変わったのかを知る。そのためにはより具体的なテーマを見つける必要があった。そうした個別の点と点を結んでいくことで、社会の在り様が立体的に浮かび上がってくる。自ずと日本で流布する〝ヨハネス伝説〟を検証することもできるだろう。

国内最大のタウンシップ・ソウェトでは観光地化が進み、住民の暮らしも大きく変わっていると聞く。ヨハネスブルグの西部には、違法につくられた鉱山で危険な採掘に従事する「ザマザマ」という人々がいるという。白人の間で貧困が広がっているという話もあった。

どこから手をつけるべきか。

「チャイナタウンに行ってみないか」

リチャードの提案だった。

いまや中国はアフリカの最大のビジネスパートナーだ。流れはカネだけでなく、ヒトもあちこちに移り住み、コミュニティを形成している。それは南アも同様なのだが、近年、そうした中国系移民を狙い撃ちにする強盗や殺人が多発しているらしい。これも確かにポストアパルトヘイトにおける南ア社会の実相だろう。

同意すると、リチャードが左拳を突き出す。真似て、私も拳をつくってコツンとぶつけた。偏見を抱いていたのかもしれない。

この数時間でリチャードに対する印象は大きく変わった。喜びもすれば落ち込みもする姿を目の当たりにして、とっつきづらさはほとんど消えた。うまくやっていけるかもしれない、そう思った次の瞬間。

目と鼻の先、私たちの車の真正面に、大型トラックのフロントが迫っていた。絶叫とともにリチャードがハンドルを切り、私たちの車はトラックの側面ギリギリを通り過ぎていった。青い顔をしたリチャードがいう。

「……アメリカと車線が逆なの忘れてた」

やはりこいつとうまくやるのは無理かもしれない。

狙い撃たれる中国系移民

「犯罪は我々を取り巻く最大の問題だ。日本人ならわかるだろう？　黄色い肌でこの街を歩く怖さが。いつ強盗されるか、殺されるか、みんな怯えきっている」

中国語特有のエネルギッシュな語調が色濃い英語で、トニーは私とリチャードに訴える。紺色の、警察のそれと似た制服を着ている。30代半ばの中国系、背は高くないが体つきはがっしりとして、素人目にも鍛えているのがわかった。けれど、彼は警察官ではない。

私たちはヨハネスブルグ東郊のシリルディィン地区にある「チャイニーズ・コミュニティ・ポリス・コーポレーション・センター（ＣＣＰＣＣ）」にいた。数ブロック先にはチャイナタウンのメインストリートが広がっている。トニーはＣＣＰＣＣの職員で、犯罪に巻き込まれた中国系移民が警察に通報する際に、それを「仲介」する仕事をしていた。

はじめはこの仕事がなぜ存在するのか理解できなかった。通報するならただ電話をすればよく、第三者が介入する余地があるとは思えなかったのだ。

トニーはいう。

「中国系移民の多くは英語を話せない。公式の統計はないが最低限のコミュニケーションに必要な英語力をもつのは3割程度だろう。2割かもしれない。事件の状況どころか犯人の数や逃げた方向、被害に遭った時刻すら伝えられない場合が多い。そうした人々が我々のところに連絡し、我々が代わりに警察に事情を説明するんだ」

そして、こうした仲介をする専門機関が必要になるほど、南アフリカには中国系移民が大勢暮らしており、頻繁に犯罪に遭っている——彼はそう付け加えた。

アフリカ、中米、南米を中心に、これまで50カ国以上を訪れたが、チャイナタウンがない国を見たことがない。中国人は地球上のどこにでもコミュニティを形成する。そして、その進出が近年でもっとも顕著なのがアフリカ大陸だ。

米国の無党派シンクタンク・移民政策研究所（ＭＰＩ）によるとアフリカ大陸で暮らす中国系移民は１００万人以上（ただし、一部の国の統計不備と中国系移民の流動性の高さから正確な数字は算出不可能と断言している。また、不法移民を併せれば数はさらに増えるはずだ）。そしてそのうちの35～50万人が南アに集中しており、さらにその80パーセントがヨハネスブルグに住んでいるという。アフリカ大陸には54の国家があることを考えれば、異常なほどの偏りといっていい。

南アにおける中国系移民の歴史は古く、最も早く到着したグループは1660年頃まで遡る。広東省や東南アジアから渡ってきた自由移民もいたが、多くはオランダの東インド会社によって連れてこられた植民地労働者だったようだ。その後も散発的に植民が行われたが、大部分は契約の満了とともに本土に引き揚げ、定着はしなかった。20世紀初頭、南アに定住している中国系移民は2500名未満だったという記録がある。

その数が爆発的に増加したのは1994年のアパルトヘイト撤廃後のことだ。

1994年時点で南ア在住の中国系移民は約3万人。南ア入国管理当局によると、2000年代半ばまでに20万～22万人前後まで膨れ上がった。

それはひとえに中国人たちがこの都市に商機を見出したためだ。

90年代から2000年代前半にかけて南ア経済は好調に推移していたし、自由を手に入れたばかりの黒人たちはモノに飢えていた。そして何よりも、中国元に対する南ア通貨・ランド高が中国系商人たちの背中を押した。

チャイナタウンで話を聞いたある初老の男性は、当時を振り返って「面白いくらいに儲かった」と語った。

「私がここに来たのは95年。当時の黒人たちは靴も持っていない有様で、コンテナいっぱいに中国製のスニーカーを仕入れた。飛ぶように売れたよ」

ただ、ここで補足しておくべきは彼らの商売は順調だったが、大半の人々は決して裕福ではな

チャイナタウンのメインストリートには立派なゲートが設置されている

かったことだ。

南アへの渡航費、店を構えるための準備金、当面の生活費。ほとんどの場合、南アで一旗あげようと決意した人々は親戚中からカネをかき集めてやってくる。借金の返済を済ませ、利益が出始めるまで3年から5年かかるといわれる。その後も本土に残した家族への仕送りに追われ、自由になるカネは多くない。

だが犯罪者にとって、そんな事情など知ったことではなかった。

トニーにいわせれば、中国系移民がターゲットにされる理由は4つある。

まず、必ず現金をもっていること。彼らが営むのは衣料品店や雑貨店、食料品店などの小売りビジネスであることがほとんどで、その性質上つねにある程度の現金を手元に置いておく必要がある。また、伝統的に彼らは銀行を使わない。税金対策だという。店や自宅に隠しておく場合が多く、強盗たちは抜け目なくそれを狙う。

次に、行動パターンが把握しやすいこと。中国系移民は猛烈に働く。5時には起床し、7時に店に行き、23時になってようやく帰路につくというのが典型だという。日曜日も休まない。こうした勤労が彼らの売り上げを支えているのは事実だが、同時に日々の行動が極めて単純になってしまう。待ち伏せや襲撃のプランを立てる上でこれほど都合の良いことはない。

また、反撃されるおそれが少ないこと。一説に南アには人口の3倍、約1億7000万挺《ちょう》の銃があるという。だが、中国人には銃で武装する文化がない。「仮に手に入っても、銃で自衛するという発想をもつ者はほとんどいない」とトニー。結果として犯罪者は〝安心〟して彼らを襲うことができる。

そして先述の通り、英語が喋れないこと。警察に通報しても事情を説明できないため、捜査の初動が遅くなる。また、これに関しては警察の側にも問題がある。相手が中国系だとわかると、面倒臭がって後回しにしたり、最悪の場合無視したりすることがあるというのだ。これが巡り巡って中国系移民側の警察不信にもつながり、犯罪に遭っても通報しないという悪循環が生まれている。

不謹慎な物言いだが、まさに「ネギを背負ったカモ」のような状態なのだ。

それを証明するように、外見はほぼ同じである日本人が集中的に狙われる、という話は一切聞かない。南ア全体で約1500人しか在住していないのもあるが、最大の違いは社会との関わり方だ。南ア在住日本人は大企業の駐在員やその家族が多く、セキュリティがしっかりした高級住

ガードマンを雇っている商店もある。背中のショットガンは実弾ではなく、ゴム弾を発射する暴徒鎮圧用のものだった

宅街で暮らすため、犯罪者にとっては狙いづらい標的なのだ。一方で、中国系移民は商売になると判断すれば治安の悪いエリアでも住んだり、店を出したりする。

中国系移民の急増にともなって彼らを狙った犯罪は増加の一途をたどり、2003年には南ア全体で24名の中国系移民が金目当てで殺された。

1日に50～60件の殺人事件が起きる南アにおいて年間24名という数字が多いか少ないか、人によって受け取り方は様々だろう。肝心なのは南アの殺人事件の大部分がギャングの抗争や知人同士のトラブルから生じるもので、殺人にまでエスカレートする強盗事件は実のところ少数派であることだ。

その上での24という数字は重く、実際に中国系コミュニティが抱いた危機感は甚大だった。そして２００４年、こうした状況を打開するため、シリルディン地区に最初のＣＣＰＣＣが設立され、２０１９年の段階で南ア全土に14施設が展開している。

しかし、これが犯罪の抑止にどの程度成果を挙げているかは不透明だ。そもそも具体的な犯罪件数を出すのが難しい。後日、市当局に取材をして驚いた。人種が犯罪に巻き込まれるか否かを左右する重要な要素であることは明らかなのに、犯罪被害者の人種別統計をとっていないというのだ。現地の報道や人々の肌感覚をまとめると、残念なことだが中国人が狙い撃ちされる状況に大きな変化はないと思われる。トニーは「連日のように電話を受ける」と語った。ただ、殺人に関していえばこの取材を行った２０１８年６月から過去２年間、ヨハネスブルグで強盗によって殺された中国人はゼロであるという。

いずれにしても、被害者と警察を仲介するＣＣＰＣＣの存在は価値がある。少なくとも助けを求める先があるということで、それは異国で生きる移民にとって大きな心の支えになるはずだ。だから私は、あなたは重要な役割を果たしているのですね、とトニーに言った。

素朴な感想のつもりだったのだ。そのときの彼の反応が忘れられない。

まるで透明な壁にぶつかったように硬直し、精悍な顔つきが歪む。視線を彷徨《さまよ》わせ、「重要……、重要……、重要……」と私が発した言葉を何度も呟く。

そして言った。

「私ができるのは通訳だけなんだ。通訳だけだ。人々を守ることも、犯罪者を逮捕することもできない。私は自分の仕事が重要だとは決して思えない」

怒りと失望が入り混じった口調だった。

被害者から連絡を受けると、トニーは現場に急行する。血だまりのなかに人が倒れているのを何度も見た。病院に搬送する途中、目の前で人が死んだこともある。そもそも命が助かっても、親戚中からの期待と借金を背負ってこの国にやって来た中国系移民にとって、財産を奪われることは破滅と同義だ。祖国には帰れない。仕事を続けることもできない。そんな絶望に染まった顔を、トニーはもっとも近くから見続けてきた。

これが、ヨハネスブルグの地を踏んで以来、自分と現地人の意識の乖離を痛感した最初の瞬間だった。

「英語を話せない被害者の通報を警察に仲介する」と聞き、需要に即した良いシステムだと思った。体を張って住民を助けるトニーを立派だと思った。「これで一本記事が書けるな」などとすら考えた。平和ボケした人間の視点だった。

文字通りに死と隣り合わせて生きる人々にとって、それは対症療法ですらない。トニーが電話を受けるとき、本当に回避しなければならない災禍はすでに起きているのだ。

「私たちは世界を変えることはできない」

インタビューの終わり際、トニーはそう呟いた。私とリチャードではなく、自分自身に宣言するような口調で。

チャイナタウンのメインストリートまでの数ブロックを、トニーが一緒に歩いてくれた。

西日が輝いていた。

「アメリカや日本だと、ナイトライフも楽しいんだろうな」

唐突に、トニーがそんなことを問う。

ナイトライフという単語を聞いて私の頭をよぎったのはキャバクラや性風俗産業で、どう答えるべきか考えあぐねると、それを察してか「ああ、違う違う」といった感じの柔らかい苦笑を浮かべた。

「夜になってから友達と一緒にバーに行ったり、街を歩いたりするんだろ、そっちでは。こっちでは無理だから。いつか行ってみたいよ」

どこか憧れるような、夢見るような表情。

返す言葉がなかった。

実際のところ、近年開発が進む新市街や白人が多い住宅街の一角には夜遅くまで営業しているバーやレストランが連なっていたりする。雰囲気はアメリカや日本のそれと変わらない。だが、客は白人と裕福な黒人がほとんどで、中国系の人々を見かけることはめったにない。中国系コミュニティは閉鎖的で、外部の盛り場に繰り出す習慣がないそうだ。娯楽といえばもっぱら中国語字幕のついた海賊版ＤＶＤを観る程度で、翌日の仕事に備えて速やかに床に就く。

チャイナタウンのゲートにたどり着き、トニーと握手を交わして別れた。

「気をつけて。中国系だけじゃない、この街に住んでいる以上、誰だろうと犯罪に遭う危険はある」

そう告げた彼の顔は、当初の精悍《せいかん》な雰囲気を取り戻していた。

メインストリートを通って車を目指す。数時間前、CCPCCに向かう際にも通った道。横浜のような毒々しい活気はない。どちらかといえば閑散としている。中華食材の店やレストランが商いをし、裏路地で自転車の練習をする子供、店先で世間話に興じる人がぱらぱらと。行きの際はそれらに素朴な豊かさのようなものを感じた。帰路につく今、同じ風景からは漠然とした不安を感じる。

変わったのは私たちなのだろう。急速に強くなっていく斜陽の赤を感じながら、リチャードと私は無言でそこを歩き抜けていく。夜になるのが怖かった。

「世界一の高層スラム」のいま

「腕時計をつけていると手を切り落とされて強奪される」

「強盗に遭う確率は150パーセント」

「道端で何かにシートがかぶせてあったので、めくってみたら死体だった」

これまでも何度か触れた「ヨハネス伝説」の一部である。

ヨハネスブルグに到着してから1週間が経過していた。「伝説」が真実だったら、私は少なくとも10回以上は強盗に襲われていなければならないが、実際のところ強盗に遭ってもいなければ死体も見ていない。もちろん手を切り落とされてもいなかった。

かといって、伝説が完全なデマであると言い切ることもできなかった。

住宅を囲む電流フェンスは危険が身近であることを感じさせたし、リチャードは銃声を聞いている。中国系移民のコミュニティでは強盗被害が続発していた。

それと比べれば些細なことだが、私自身もこんな体験をした。

ある日の午後2時頃、スーパーマーケットに行こうとホテルの門をくぐったとき、オーナーのエリザさんが驚いた様子で制止した。

「何してるの！」

スーパーは4ブロック先。せいぜい300メートルの道のりで、見通しもよく、不審な人影はない。さっと行ってさっと戻れば問題ないだろう、そんな感覚だった。

「どんなに短い距離でもＵｂｅｒを使いなさい。歩いたりなんてしたら何が起きてもおかしくない」

エリザさんの表情は真剣で、冗談を言っているようには思えない。

そう言われると、確かに「不審な人影はない」という言い方は正しくなかったと思えてくる。「歩いている人間など1人もいない」というのがしっくりきた。比較的安全といわれる白人住宅街であるのに。

ヨハネスブルグが危険な都市であることは、やはり明らかだ。

日本で認知されている「伝説」と、この都市の現在の治安にどの程度乖離《かいり》があるのか、誰にでもわかる形で報告するにはどうすればいいのか。考えれば考えるほど難しい。その土地の治安をどう感じるかは主観と肌感覚が占める部分が多く、人によって受け取り方は大きく変わる。

とりあえず、最大の問題から片付けることにした。現在私がもっている情報はほとんど伝聞だ。もう一歩踏み込んだ行動と、そこから得られる肌感覚が必要だった。

だから、市の中心部に行くことにした。

到着初日、エリザさんが挙げた「絶対に行ってはいけない場所」。そのうちの2つ、ヒルブロウとCBDが位置するエリアであり、これまで話したすべての人が「ヨハネスブルグで一番ヤバい」と口を揃えた場所だった。

不安なほどの密度で林立するビル群が眼下に広がる。往来を、蟻のようなサイズの人々が歩いていた。はっきりとはわからないが、その全ては黒人に見える。視線を遠方に移していくとビル群は唐突に切れ、地平線まで続く平地が空気の層に阻まれて霞《かす》んでいる。

私はヒルブロウの東側に立つ、ポンテタワーの51階にいた。

ポンテタワー。居住用としてはアフリカ大陸で最も背の高い建物だ

正式名称は「ポンテ・シティ・アパートメント」。1990年代から2000年代初頭にかけて「世界一の高層スラム」と恐れられ、麻薬、殺人、売春などヨハネスブルグのあらゆる悪徳の吹き溜まりと忌《い》み嫌われたビルである。

調べてみて驚いた。治安が回復しているばかりか、大勢の住民が普通に暮らしており、観光名所として見学ツアーまで開催されていたのだ。Dlala Nje（ダランジェ）という非営利団体が運営しており、私がここにいるのもこのツアーに参加したからだ。タワー内部を見学してからヒルブロウの中心街を歩く4時間ほどの行程で、参加費は400ランド（約3200円）だ。

正直なところ、こうしたツアーでどの程度治安の実態がわかるのか不安があったが、ツアーが始まってまもなく、足を運んだ甲斐はあったと強く感じた。

まず何よりも、ポンテタワーの建築物としての異様さを挙げたい。

51階の部屋で景色を眺めたあと、階段で1階まで降りていく。途中、いくつかのフロアを散策

ポンテタワー51階からの眺望

できるのだが、基本的には廊下に住宅のドアが並んでいるだけの殺風景な空間だ。

しかし、廊下の内窓からの光景が凄まじい。ポンテタワーは言ってしまえば鉄筋コンクリートでできた長さ173メートルの「筒」である。

中央は空洞になっていて、どの窓から見下ろしても「底」にあたる地階が見える。地階に至るまでの各階の窓は完璧な規則性のもとに整然と配置されており、老朽化したコンクリートの退廃的な雰囲気と相まって、近未来SFで描かれそうなディストピアを彷彿《ほうふつ》とさせた。住んでいる人には失礼だが、廃墟マニアであれば絶対に訪れるべき物件と思えた。

「底」から見上げるとさらに圧巻だ。

直径30メートルほどの空間。視界360度すべての壁が、天に向かって収束するようにそそり立つ様子に、息が苦しくなるほどの圧迫感を覚える。現実の光景とは思えない。天井は存在せず、そこには丸く切り取られた空。はるか彼方にあるように感じられた。地獄の底から天国を見上げたらこんな感じなのだろうか、などと思う。

ツアーガイドの解説を聞いていると、地獄の底、という印象は的外れではないのかもしれなかった。

完成は1975年。白人居住区だった当時のヒルブロウにあって、まさに富の象徴と呼べる最高級マンションとしてタワーの歴史は始まった。

1990年代前半からヒルブロウの治安が悪化し始めたのは以前述べた通り。多くの場合、黒人の貧困層が流入したため、と説明されるが、これには少し語弊がある。これではまるで黒人が白人を追い出し、このエリアを奪い取ったように聞こえる。順番が違うのだ。1980年代からヒルブロウは白人に見捨てられつつあり、白人たちが市北部の新興エリアに移り始めたため、その空席に黒人が入ってきた、というのが正しい。

原因は都市計画の失敗だった。

ヒルブロウやCBDなどをひっくるめたヨハネスブルグの中心部を「インナー・シティ」と呼ぶが、決して広いエリアではない。そこにビルを作りすぎた。結果として生じたのが企業活動に支障が出るほどの渋滞であり、ほとんど時を同じくして、郊外に増え始めた大型ショッピングモールが中心部から顧客を奪っていった。企業や住民がより快適な郊外に居場所を求めるのは自然な

地階からタワー天頂を見上げる

ことだった。絵に描いたようなドーナツ化現象であり、日本を含めた世界中の都市が直面し、今でも手を焼いている問題である。

だが、ここからの展開は確かにヨハネスブルグ独自のものだろう。

白人は去り、建物が残った。黒人がやってきて、そのなかには犯罪で生計を立てる者もいた。当時の社会構造がそれ以外の選択を許さなかったから。インナー・シティでも一際高台であるヒルブロウの、最も背の高いビルが選ばれたのは何故だろう。いずれにしてもポンテタワーは犯罪者の巣窟《そうくつ》になり、その内側で理解を超えた生態系が形成されていく。

一番荒れていた時期、ポンテタワーの14階は床を剥ぎ取られ、13階とつながる広大な空間を有していたという（床を剥ぎ取られたのは12階という説もある）。

そこでは通常の社会ではおよそ許容されないあらゆるものが横行したといわれる。麻薬や武器の売買、委託殺人、男女を問わない売春……。

タワーは市当局から放棄され、電気や水の供給、ゴミの回収といった公共サービスが途絶えた。焚き火やろうそくのか細い光に照らされて得体の知れない群衆が蠢いていた、などと見てきたようにガイドは語る。この時期、部屋数500弱、収容人数1500から3500を想定してつくられたポンテタワーには1万人近くが住み着いていたという。

ギネスブックの選考委員会がブラックジョークを好むようなら、当時のポンテタワーは「世界最大のゴミ箱」として掲載されていたはずだ。実際、その場で起きた出来事は文字通りのものだった。ゴミの回収がストップしたことで、〝住民〟たちはそれぞれの階からゴミを投げ捨て始めたのだ。タワー中央の空洞に向けて。

日々降り注ぐゴミは溜まりに溜まり、ピーク時で5階にまで達した（これにも諸説あり、7階とする説、14階とする説がある）。水が止まっていたことも忘れてはいけない。小便や大便もそこに含まれ、タワーの衛生環境は劣悪を極めた。

そうした堆積物には、人間の死体も含まれていた。理由は定かではないが、高層階から身を投げて自殺する者が相当数いたらしい。それを裏打ちするようにポンテタワーの異名のひとつに「スーサイド・セントラル（自殺の中枢）」というものがある。

そんな状況が変わり始めたのは2001年のこと。今にして思えば2010年のサッカーW杯を見越した投資マネーが成した業というのが多くの人の推測するところだが、イギリスの不動産会社が浄化作戦を展開し、２０１１年頃までに現在の形に戻した。

ポンテタワーの空洞に堆積していたものはヨハネスブルグのカオスそのものだろう。それを地獄と形容するのは大げさではないはずだ。

そんなポンテタワーは、現在では地域の人々にとって希望の象徴なのだという。

「どんな最悪な状態からでも立ち直れることを示してくれた」とガイドはいった。

ツアーは続く。ポンテタワーを発ち、いよいよ本丸であるヒルブロウの街へと向かった。

あまり不安を感じないのはタワーが平穏だったせいだろうか。ツアーの人数が多かったのも理由かもしれない。ガイド2名を含めた総勢11名。私以外はアメリカ、イタリア、ドイツから来たという裕福そうな白人ばかりで年配の方が多かった。本当に危険なエリアなら、まず姿を見せないタイプの人々に思えた。

ツアーを提供するダランジェのウェブサイトには、ヒルブロウはヨハネスブルグで「最も誤解されている街区《がいく》」と書かれている。ダランジェの本来の活動は、教育事業とヨハネスブルグ中心部のイメージを向上させること。ツアーはその一環なのだという。

ガイドの若い黒人女性は誇らしげに語る。

「みんなヒルブロウを危険な、掃き溜めみたいな場所だと思ってる。でもそれは正しくない。多彩な文化のある魅力的な場所なの」

　このときの彼女の言い方は「危険でも掃き溜めでもない、多彩な文化のある魅力的な場所」とも、「危険で掃き溜めみたいではあるが、多彩な文化のある魅力的な場所」とも解釈できた。あえてそんな言い回しを使ったようにも思えた。天と地ほども違うし、個人的には一番気になっているところなのだが。しかし、すぐに気にしている暇がなくなった。

　大きな通りに差し掛かり、南アフリカに来てから初めて目にするものを見たのだ。活気である。

　歩道から溢れ出さんばかりの人が歩いている。売り物を山積みにして店主が威勢良く客引きをしている。笑顔を浮かべた家族連れが買い物袋を提げている。ガードレールに腰掛けて若いカップルがじゃれあっている。

　活力が渦を巻いていた。

　この光景に、私は驚いた。そんな自分の心の動きにハッとし、白人住宅街やチャイナタウンがいかに「異常」だったかに気付いた。

　普通、こうなのだ。街とは人が闊歩し、活気があるものなのだ。

　南アに来て以来、人影すら珍しいエリアが生活の中心だったため、感覚が狂っていた。もちろん、日々車で移動する際や、この日タワーに来るときにもこうした光景を視界の片隅で見ていたのかもしれない。だが、同じ地面に立ち、同じ空気を吸いながら向き合うのとでは受ける衝撃がまる

ヒルブロウの街並み

で違った。

ガイドを先頭に、人をかき分けながら進んで行く。

頻繁にツアーをしているからか、完全な「異物」である私たちに関心を向ける者はいない。というのは、道ゆく人すべてが黒人なのだ。白人住宅街には黒人も住んでいるし、チャイナタウンにはさまざまな人種が買い物に来る。この「純度」の高さが気になった。

しかしガイドに言わせれば、それは日本人と韓国人と中国人を指して、全部同じ、というのと変わらないくらい乱暴な物言いだという。

南アフリカの人口の8割を占める黒人はいくつもの民族から構成されている。ズールー、コーサ、ツォンガなど主要なものでも9つあり、言葉も違えば文化もアイデンティティも異なる。南アに公用語が11もあるのはそのためだ。

それぞれのコミュニティに分かれて暮らすのが一般的だが、インナー・シティには垣根がなく、すべての民族が入り混じる。加えて、このエリアにはモザンビークやジンバブエ、マラウイなどの周辺国から大量の買い物客や行商人が連日バスで乗りつけて来る。ガイドが「多彩な文化」といったのはまさしくその通りで、アフリカ屈指、もしかしたら世界でも有数の多様性を誇る地区なのだ。

しかし、光があれば闇もある。

あるビルの近くに差し掛かった時、ガイドが言った。

「あのビルにはカメラを向けないで。トラブルになるから」

ヒルブロウの建物は総じてオンボロだが、そのビルは輪をかけてひどかった。

5階建ての雑居ビルのような風情だが、壁には無数のヒビが走り、最上階の屋根は一部が崩落してビニールシートで補強してある。近くの電柱からは不自然なほど多くの電線が伸びており、盗電をしているのが明らかだった。

玄関の前に座っていた男がこちらの視線を避けるように奥へと消えた。

あれは何かと尋ねると、ガイドは露骨に嫌そうな顔をする。結局、しぶしぶという感じで説明してくれた。

いわく、あれは不法占拠ビルである。不法移民や麻薬の売人などの犯罪者が勝手に住み着いており、物件のオーナーは家賃を徴収できずにいる。市は住民を追い出し、再生したいと考えているが、遅々として進まない。武装していることが多く、大きな危険が伴うからだ。

しかも、インナー・シティの3割から4割のビルは不法占拠されている、とも言った。

これはさすがに何かの勘違いか、誇張しているのだと思った。都市機能が成立するはずがない。

しかし後日調べてみると市議会が把握している不法占拠ビルだけで３００棟あり、インナー・シティにどれくらいのビルがあるか信頼できる数字を見つけられなかったが、地元の記者も「3割でもおかしくない」と語った。そもそもイメージアップを目的とする団体の人間が悪い方向に誇張する理由がない。

ポンテタワー自体は再生したのかもしれない。だが、〝プチ・ポンテタワー〟は周囲に無数に存在し、その内側では90年代と同じ状況がいまだに続いている――そう考えると、現地の人々がヒルブロウやCBDをなぜあれほど危険というのかおぼろげながら理解できた。

不法占拠ビルの一例。建設途中に占拠されたのか、外壁が存在しない

ある記者が「絶対に行かない。あそこで強盗に遭っても保険がおりない」といっていたのを思い出す。冗談だと思っていたが、いま

は笑う気になれない。

不法占拠ビルを見てから5分も経たないうちに、追い打ちをかけるような出来事があった。

突然、私の後方にいたツアー客の女性が悲鳴をあげた。「キャッ」と「アッ」の中間のような、ちょっとつまずいた時にでも発するような短い叫び。振り返ろうとした私のすぐ横を黒人の若い男が猛烈な速度で駆け抜けていった。

「携帯を盗られた！」

女性が声を張り上げ、事の重大さを認識したが何の反応もできなかった。男は速かった。人はこんなに速く走れるのか、などと見当違いな感想がよぎったのが不思議だった。路肩に仲間の車が寄せてあり、男が飛び乗ると同時に急発進してすぐに見えなくなった。

すべては一瞬のうちに終わった。

女性は狼狽《ろうばい》しながらガイドに警察を呼ぶよう詰め寄っている。

ここでもうひとつ信じられないことが起きた。

ガイドは「警察呼んでも無駄だよ。携帯は戻ってこない」と取りつく島もなく、結局最後まで警察に連絡しなかった。そればかりか「食事を用意しているから」といってツアーを続行したのだ。

そこからレストランに移動するまでの約10分、誰も口を開かなかった。


治安の尺度として犯罪件数や殺人率がよく用いられるが、それはあくまで統計であって、実際にその場にいる人間の感覚や意思決定にもたらす影響力は強くない。

例えば、統計上はヨハネスブルグの治安は良くなっている。

南アフリカ警察の発表によるとヨハネスブルグがあるハウテン州の10万人あたりの年間殺人件数は、25年前のアパルトヘイト撤廃直後が83・1件（１９９４年４月～１９９５年３月）、現在が29・５件（２０１７年４月～２０１８年３月）。激減といっていい。（余談だが、17年４月から18年３月で最悪の数字はイースタン・ケープ州の58・７件で、ウェスタン・ケープ州の57件と併せて南アの平均殺人件数を押し上げている）。

だが、実際には多くの人が現在も電流フェンスの内側に隠れ、犯罪におびえている。治安に対する感覚にもっとも強く働きかけるのはいつだって体験だ。問題は、体験に基づく感覚も正確とは限らないことだ。

私はダランジェが運営するヒルブロウツアーは危険だと思った。しかし実際に起きたことはたった一件のひったくりであり、いつもそれが起きるかどうかはわからない。嘘かどうかは別として、ガイドも「こんなことは初めて」といった。何事も起きなければ私は「安全面も問題のない楽しいツアー」とでも書いていただろう。

結局、治安を見定めるためには個人的な体験と、統計や人々の意見を勘案し、総合的に判断するしかない、という政治家のような言い方にしかならない。

このあいまいさが、都市伝説を育む土壌になるのではないか。

例えば「腕時計をしていると手を切り落とされる」という話。実際にこうしたことが、もしくはこれと似たようなことが過去にあったのだろう。それが種子となり、年間数千件の殺人、数万件の強盗といった統計が肥料となって、人から人へと語り継がれる間にヨハネスブルグは「手を切り落とされて腕時計を盗られるという事件があった街」から「手を切り落とされて腕時計を盗られる街」といわれるようになった――そのようにして数々の「ヨハネスブルグ伝説」が生まれたのではないか。

こうなってくると私が確信をもっていえることは限られる。「一部の『伝説』は嘘だし、大部分の『伝説』は実際に起こる可能性はある」くらいのものになってしまう。

「出歩けば150パーセント強盗に遭う」はさすがに嘘だ。ヨハネスブルグ滞在中、結局4度ヒルブロウを歩き、路上で撮影をしたこともあったが私は強盗に遭っていない。

「南アの犯罪者はペットとしてハイエナを飼う習慣がある」も嘘だ。大勢に話を聞いたし実際に何人かの自宅を訪ねたが、だいたい動物を飼っていないか、飼っていても猫だったし、ハイエナ自体が珍しいらしい。数年前、ヨハネスブルグ郊外にハイエナが出没したときはそれがニュースになったほどだ。

「腕を切り落とされる」や「手ぶらで歩いても服と靴を強奪される」「ホテルを襲撃され、男も女も全員レイプされる」は起こるかもしれない。どんなことでも起こる可能性はある。

思い返せば、あのときエリザさんが結論を口にしていたのだ。

ヨハネスブルグでは「何が起きてもおかしくない」と。

余談だが、安全にかかわることなのでふたつ書き添えておきたい。

ひとつはツアーガイドが警察に通報しなかったことについて。

南アの犯罪率の統計を眺めるときに留意すべき点でもあるのだが、この国には犯罪に遭っても通報しない人が多い。チャイナタウンでも同様の話を聞いた。

背景にあるのは根強い警察不信だ。まともに仕事をしない、通報しても何も変わらない、と思っている住民が多い。実際、南アの警察は殉職率が高い一方で、ほかの公務員より給料が安い。そんな仕事に就きたい人が多くないのは当たり前の話で、結果として人的資源に恵まれていない事情がある。

しかし、通報しなければ犯罪は統計に反映されない。正しい統計に基づかなければ適切な対応もできない。また、犯罪者にとっては犯罪の「やり得」のような状況を生んでしまう。結局いつまでも治安は悪いままだ。

そしてとくに重要なのは、通報する人間が少ないということは、ヨハネスブルグの実際の犯罪発生率は、統計で示される値より高い可能性が常にあることだ。

統計を鵜呑みにするならばヨハネスブルグの治安は確かに改善されつつあり、「世界一危険な都市」とは呼べない。だが、けっして予断は許されない状況が続いているのは確かである。

CBD の街並み。ヒルブロウに比べると路上に散乱するゴミが目立つ

もうひとつはＵｂｅｒの利用について。

ヒルブロウと並んで危険と悪名高いＣＢＤ。ヒルブロウツアーの２日後、リチャードとここを１時間ほど散策した。

ヒルブロウと隣接していることもあって街の雰囲気は似ていたが、路上に酒瓶が散乱し、浮浪者のような恰好の者が多いのが印象的だった。

とくに危険な目に遭うことなく散策を終えたが、問題は撤収する際に起きた。

ヨハネスブルグ・アート・ギャラリーの付近からＵｂｅｒで車を呼んだ。このサービスではアプリ上の地図に車の現在地が表示されるほか、車種、車の色、ナンバー、ドライバーの名前、顔写真、ユーザーの評価、これまで送迎をした数などが一目でわかる。

特にユーザー評価と送迎数が重要で、これが信頼と実績の証明になっているから、治安の悪いヨハネスブルグでも安心して初対面の人間の車に乗ることができる。

　しかし、このときスマートフォンのバッテリーが切れそうになっていたので、車がこちらに向かっているのを確認し、車種やナンバーをサッと見た段階でディスプレイをオフにしていた。

　間もなく私たちの前に車が停まった。ドライバーと目が合うと、こちらに微笑んだ。いつもＵｂｅｒの車を拾う時と同じ流れ。乗り込もうとしたとき、違和感を覚えた。ナンバーの頭文字が違ったような気がしたのだ。アプリで確認すると、やはり違う。地図の上では私たちの呼んだ車がまだ向かっていた。目の前のドライバーは手招きをしている。微笑みを崩さないのが不気味だった。距離をとり、様子を見ていると1分も経たないうちに私たちの車が現れ、逃げるように乗り込んだ。

　気付かずあちらの車に乗っていたらどうなっていたのだろう。誘拐されていたのだろうか。しかし、あちらは1人でこちらは2人である。近場の空き地にでも急行して大勢で囲むつもりだったのだろうか。

　いずれにしても、治安が悪いエリアでＵｂｅｒを使う際はアプリから目を離してはいけないという教訓になった。これはヨハネスブルグに限らず起こりうることなので、ぜひ留意していただきたい。

南ア最大のタウンシップ・ソウェトの素顔

1994年にアパルトヘイトが撤廃されるまで、黒人たちがただ奴隷のように白人に従っていたわけではない。現在の与党であるアフリカ民族会議（ANC）は20世紀前半から白人政権に対して闘争を繰り広げていたし、1970年代頃からは民衆レベルでもデモやストライキが目立つようになる。

決定的な転換点となったのは1976年にヨハネスブルグで行われた学生のデモ行進だった。黒人学生の授業をアフリカーンス語で行う決定を政府が下したことを受け、推定1万人といわれる学生が集結し、抗議を行った。

発端はいまでもよくわかっていない。学生たちが投石していたという話もあれば、学生たちは終始平和的だったという話もある。いずれにしても学生たちに対峙していた300人余りの警官の1人が発砲したことで、事態は取り返しのつかない展開を迎える。

パニックは野火のように広がり、学生は逃げ惑った。恐慌は警官隊にも伝染し、学生たちの背中に次から次へと銃弾が放たれた。警察発表で176名、それに異を唱える人々によると500名以上が亡くなったという。

当時13歳だったヘクター・ピーターソンはそんな犠牲者の1人。撃たれた直後の彼の写真は、アパルトヘイトの罪をきわめて明確な形で国際社会に伝えた。ヘクターの小さな身体は別の男性の腕のなかでぐったりと横たわり、すぐ横にいたヘクターの妹には恐怖の表情が張り付いていた。国際連合による制裁の本格化、国際世論の圧力によって南ア政府がアパルトヘイト撤廃に舵をきるまでそう時間はかからなかった。

これが「アパルトヘイトの終わりの始まり」といわれる「ソウェト蜂起《ほうき》」のあらましである。この日、私はその舞台となったタウンシップ「ソウェト」に向かう車のなかにいた。アメリカ人、イタリア人といった多国籍な乗客に向けてガイドがソウェトの概要を説明している。ソウェト見学ツアーの送迎車だった。

博物館に展示された写真。男性の腕の中で横たわる少年がピーターソンⓒ Jorge Láscar

アパルトヘイト時代、体制への反抗の拠点であり、南アにおける黒人という存在の「象徴」だったソウェト。しかし時代は変わり、現在この街はヨハネスブルグにおける観光地のひとつになっていた。

ソウェトについて語るなら、まずタウンシップの解説からするべきかもしれない。

タウンシップはしばしばスラムと混同される。けれど、「土地を不法に占拠して形成された集落」というスラムの定義に則れば、タウンシップはスラムではない。アパルトヘイト時代に、都市の郊外に設置された黒人強制居住区。一般的に通りの良い呼称を当てはめるなら「ゲットー」が近い。

しかし、そこで営まれる生活はスラムのそれとさほど変わらない。

ほとんどのエリアには電気や水道がなく、多くの世帯は街灯などから盗電したり、遠くの井戸から水を運んできたりすることでまかなう。人々が暮らすのは、トタンや木材でつくられたバラック小屋。貧しい人が多く、失業率や教育を受けていない者の割合、乳児死亡率も都市部と比べると格段に高い。不法移民が流れ着き、勝手に住宅を建造するため、「タウンシップのなかのスラム」が存在している。

アパルトヘイトが終わり、すべての人種の平等が建前になった現在でも、基本的にはそうした状況に変わりはないといわれる。そんな集落が南アフリカには無数にあるのだ。

そのなかでソウェトは別格の存在だ。

まず、とても広い。82平方キロメートルの面積に約150万人が住んでいる。地方の平均的なタウンシップは徒歩で全域を回れてしまう場合がほとんどだ。山手線の内側が65平方キロメートルであることを考えるとその広大さをイメージしやすい。

そして先述した「ソウェト蜂起」を筆頭に、この街は南アの歴史において重要な役割を果たし

ソウェトタワーから望んだソウェトの街並み

てきた。政治的な側面だけではない。分断され、社会で孤立していた黒人たちの団結を促し、食、音楽、文学などさまざまな文化を育むゆりかごとしても機能した。また、南アのGDPの3割から4割を稼ぎ出すヨハネスブルグにあって、その労働力の多くを供給しているのもソウェトである。政治、文化、産業に常に影響力をもつ存在であり、「ソウェトがくしゃみをすると南アが風邪を引く」という物言いがあるほどだ。

ツアーはそうした概要や、地域の雰囲気を学ぶには充分の内容だった。

まずインナー・シティとソウェトの中間くらいの場所にある、サッカーW杯のために建造されたスタジアムで記念撮影。その後、バラック小屋が密集するエリアをガイド同伴で歩く。裸足で走り回る子どもたちや不便な暮らしを嘆く人々を垣間見たら、その足でネルソン・マンデ

ズールーの伝統衣装で踊りを披露する人々。
カメラを向けるとおひねりを要求される

ラの旧邸や、「ソウェト蜂起」の象徴となったヘクター・ピーターソンの名を冠した博物館を訪問。それでツアーは終了だが、希望すれば近郊の火力発電所跡を改修した「ソウェトタワー」でランチやバンジージャンプを楽しむオプションもある。

印象に残ったのはマンデラの旧邸があるオーランド・ウェストというエリアだ。その街並みは洗練の一言。再開発によって、空間にゆとりをもたせた舗装道路が伸び、手入れの行き届いた街路樹がそれを彩る。軒を連ねる屋台にはTシャツやアフリカ風のアクセサリー、土産としてもらったら絶対置き場所に困る木彫像などがずらりと並び、「北斗の拳」の牙一族のようなファッションの男たち（ズールー民族の伝統衣装らしい）が不思議な踊りを披露しておひねりをもらっている。そこには貧困も、犯罪の影もない。地域にカネが落ちているのは明らかであり、ソウェトにとって「良いこと」なのは間違いないだろう。一方で、壮絶な歴史的闘争の舞台が世界のどこにでもある観光地にパッケージ化されてしまうことに、残念な印象を抱いたのも事実だった。

本当の収穫は、ツアー終了後にあった。

バラック小屋を見学した際、そのエリアだけは、近所に暮らしているという若い黒人男性がガイドを代行していた。これがずっと気になっていた。なぜ交代する必要があるのか。ツアー会社のガイドでは対処できない問題が起こる可能性があり、地元の人間ならばそれに対処、または回避できるからではないか。その問題こそ、ソウェトの本当の姿を知るためのパズルの1ピースとなるものではないか。そんな疑問があったから、その若者に携帯電話の番号を聞いていたのだ。

ツアーガイドに帰りの送りは不要と伝え、若者に電話をした。彼はすぐに応答した。身分と、話をしたい旨を伝えると、ディップクルーフというそれほど遠くないエリアにある、ケンタッキーフライドチキンの店舗を指定された。

彼の名はニャイコといった。

25歳。ソウェト生まれのソウェト育ち。元教師で、現在はコミュニティ・ビルダーという、貧困エリアにインフラを整備したり、子どもの教育プログラムをつくったりする仕事をしている。観光業にも関心があり、勉強と副業を兼ねて観光ツアーのガイドを時折引き受けているそうだ。

小さな子どもを持つ親は、よく「知らない人について行ってはいけません」という。自分の親が言っていたかどうか記憶が定かではないが、たしかに社会通念に照らしても的を射ている格言だ。だから、なぜこの若者を信用できると思ったのか、後から考えてもあまり論理的な説明ができないのは問題である。ただ、こちらが切り出す前に、彼がこう言ったのは大きかったのだと思う。「ソウェトの地位向上のために観光ツアーは意味があると思っている。だが現在の形がベストとは思えない。あれでは『人間サファリパーク』だ」

人々が観光ツアーで貧困エリアを歩くときの情動は、動物園を歩くときのそれと大差ないと私も思う。絶滅が危惧される動物の檻の前で神妙な気持ちになるのと同じメカニズムで、貧困にあえぐ人々に同情する。そして、結局何も変わらない。せいぜいそのツアー客のSNSが少しばかり賑やかになり、いくつかの「いいね」がつき、その後はタイムラインの奥底にすべてが流れ去っていくだけだ。非難しているわけではない。私だってそうした営みの参加者の1人だ。

そこから派生する後ろめたさのせいだったのか、それとも単なる野次馬根性か、私は反射的に「あなたの好きなようにソウェトを案内してくれないか」と言っていた。ニャイコの返答が「いくら払える?」でも「まかせておけ」でもなく、「俺もそれをやってみたい」だったのも、彼を信用する後押しになった。

翌日、同じ場所で待ち合わせることになった。

ディップクルーフというエリアはソウェトの東端、すなわちソウェトのなかでは一番ヨハネスブルグの中心部に近い場所にある。そのためか南アでも最大といわれる乗り合いバスのターミナルがあり、大型のショッピングモールもあり、結果としてそうした施設の周辺はヒルブロウに負けないくらいの人出で喧騒が絶えることがない。

問題は、待ち合わせ場所のケンタッキーフライドチキンはそうした喧騒のど真ん中にあり、ニャイコが遅刻したので私は店の前に1時間近くもひとりぼっちで立ち尽くす羽目になったことだ。

通行人はすべて黒人。それはいいのだが、虚空に向かって話しかけていると思ったら急に爆笑するおばさん、路肩で火を起こし、羊の生首を焼くなどして幸せそうにしている若い男、「堕胎《だたい》」という言葉と電話番号だけ書き殴られた紙が十数枚貼り付けられている電信柱など、視界に入る事象の大半が私の常識からはずれており、ひたすらに居心地が悪い。地球上でこれ以上のアウェー感を味わえる状況はあまり思いつかなかった。こんなときこそリチャードと一緒に行動すべきなのだが、この日は上司の指示で別の取材に赴いていたのだ。

ディップクルーフはヒルブロウとも、観光客が多いオーランド・ウェストともまた違ったおもむきがあった。ヒルブロウを歩く人々は着飾った、どこか「よそ行き」のような雰囲気の者が一定数いたが、こちらはよれたシャツやスウェットなど、明らかに普段着の者ばかりがリラックスした様子で歩いている。オーランド・ウェストのような観光客向けの小洒落た店もない。人々が日常生活を営む暮らしの場、という印象だった。

心細いのは事実だったが、それほど不安を感じなかったのは、治安についてソウェトの悪評をあまり聞かなかったせいだ。ヨハネスブルグは基本的に治安が悪いが、「とくに危険なエリア」といったとき、ソウェトを挙げる者はほとんどいなかった。同時に、それは今回解決したい疑問のひとつでもあった。

これまで見てきたように、ソウェトは広く、多様性に富んだ街だ。オーランド・ウェストのような開発されたエリアもあれば、バラック小屋が建ち並ぶスラム同然のエリアもある。とはいえ比率でいえばバラック小屋に暮らす貧困層が多い。普通、そうしたエリアは危険視されるし、実際に危険であるのが相場なのだ。

類似する点が多いので、ケニアの首都ナイロビを例に挙げよう。この街も治安の悪さではヨハネスブルグといい勝負だ。とくに危険とされるのが都市の中心部。ここまではヨハネスブルグと同じだが、ナイロビの郊外には「キベラ」という世界最大級のスラムがあり、こちらも非常に危険といわれる。実際、私が２０１０年に取材した際は地元警察の指導でボディガードを３名も雇わなければならなかった。

何がいいたいかというと、ヨハネスブルグの貧民街であるならばソウェトはもっと危険といわれても不思議ではないということだ。本当に安全なのだとしたら、なにかしらの理由があるはずだった。

そんなことを考えているうちにニャイコが姿を現した。

まず、歩いて20分ほどという彼の自宅に向かうことになった。歩いて20分なのになぜ1時間遅れるのかという疑問はもっともだが、考える意味はあまりない。南アではむしろ時間通りに待ち

ニャイコ・マンドンセラ。今後ソウェトのあちこちをともに歩くことになる

合わせ場所に来る人間の方が少数派だ。

喧騒を離れ、草が茂った空き地を横切っていく。視界が開け、なだらかな丘陵を覆い尽くすように住宅が広がっているのが見えた。

不思議な光景だった。塀を備えたコンクリ造りの、日本人の感覚で「普通」の家が続いていると思ったら、一本の通りを境にトタンでできたバラック小屋に切り替わる。中間というものが存在しない、不自然に感じるほどの急激な変化。

「コンクリ製の家は政策でつくられたものなんだよ。アパルトヘイトが終わってANCが政権をとったとき、バラック小屋に暮らす黒人に家を提供すると公約した。あの辺りの家ができたのはそのすぐ後。だが、政府の方針が変わって工事が中断していて、再開がいつになるかよくわからない」とニャイコ。

整然とした街並み（写真奥）からバラック小屋が立ち並ぶエリアへと唐突に切り替わる

確かにANCは当初、福祉政策を重視した「復興開発計画（RDP）」を掲げていたが、2004年公布の「黒人経済力増強計画（BEE）」を筆頭に、現在は経済政策重視にシフトしている。問題はそうした経済政策の恩恵にあずかれるのはすでにある程度経済的基盤を確立した世帯だけであることで、貧しい者はさらに貧しく、富める者はさらに豊かに、と黒人の間でも格差の拡大が起きている。この風景はまさに象徴的だった。

ニャイコの家はそうした政府によってつくられた住宅のひとつだった。

バラック小屋に住んでいると思っていたのも手伝って、中を見て素直に驚いた。玄関を開けるとすぐにリビングで、ソファがあり、テレビがあり、オーディオ機器があって、壁には楽しそうに笑う家族の写真が貼られてい

洗練されたオーランド・ウェストと打って変わり、貧困エリアはスラム然とした街並み。こうしたエリアはインフォーマル・セトルメントと呼ばれる

る。奥のキッチンにはテーブルセットと大きな冷蔵庫が見えた。軒先には自家用車が2台。ここに親の兄弟を含めた11人で暮らしているという。ソウェト＝タウンシップ＝貧困という固定観念がどんどん崩れていく。

一方で、バラック小屋エリアとの格差がますます気になった。

前日に彼がガイドをしたバラック小屋エリアはここから目と鼻の先。徒歩で15分もかからない。だが、生活水準は天と地だ。のちにニャイコの協力で5世帯から話を聞いたが、世帯収入は平均で月2000ランドほど（約1万6000円）。収入の主な柱は日雇いの建設作業で、給与は1日約800円。家族全員が無職で、おじいさんの年金だけで食いつないでいる世帯もあった。

家財も、必要最低限という感じだ。敷地内

に小屋が2、3軒あるのが一般的だが、中はいわゆるワンルームで、ベッド、ブラウン管のテレビ、衣類棚などでもういっぱいになってしまい、隅に煮炊きするスペースが簡単に区切られているという構成。土間の家も2軒あった。どの家にもテレビがあるのだが、「電気はどのように得ているのか」と質問すると皆口をつぐんでしまった。

ニャイコの一家の生活水準は、日本の中流家庭と比べて劇的に違うとは思えない。それがこれほどの貧困エリアと隣接し、共存しているのが衝撃だった。ニャイコの家、さらにいえばその周辺の家も総じて電流フェンスを備えていないのも気になった。危険はないのだろうか。

この質問に、ニャイコは難しい顔をする。考えをまとめているようなしばしの間。そしていった。

「まず、ソウェトにも危険なエリアはある。ギャングがたむろしているような。だが、そこに住んでいる人が危険な目に遭うことはめったにない。よそ者が出歩いたらかなり危ない」

謎掛けのような返答だが、質問を重ねていくとおぼろげに全貌がわかってきた。

ソウェトは街区ごとにコミュニティとしてまとまっており、その内部では人と人の結びつきがきわめて強い。ひとつの街区内では住民全員が知人というのも珍しくなく、実際、ニャイコと歩いていると彼は住民とすれ違うたびに気安い様子で世間話をしていた。

こうした環境で悪さをする奴などいない。どこの誰かすぐに特定されるし、そのコミュニティから爪弾きにされる恐れもあるからだ。

では、よそのコミュニティに行って悪さをする場合はどうか。これも難しい。よそ者はすぐにわかるので警戒される。コミュニティ全体を敵に回すことになりかねず、場合によっては私刑にあって殺されることもある。

私刑とは物騒な話だが、タウンシップではありえない話ではない。

アパルトヘイト時代、タウンシップは警察活動の管轄外だった。街なかを警察がパトロールすることはあったが、それは反アパルトヘイト活動家を検挙するためで、黒人の安全を守るためではなかった。「自分たちの身を守れるのは自分たちだけ」という世情、そこから自然発生的に誕生したのが自警団だ。

これがコミュニティの結束を強め、地域の安全に寄与したのは事実だが、なかには過激な集団もあった。ケープタウンの「ＰＡＧＡＤ」が最たる例だろう。その名は「ギャング行為と薬物に反対する民衆」という英語の頭文字をとったもので、主張自体は至極まっとうではあるが、彼らは地元ギャングのリーダーを報道陣の前で公開処刑したり、薬の売人だと疑ったら確かな証拠もないのに殺したり、家に火をつけたりした。どちらがギャングかもうわからない。そして実際、ギャングとの抗争に発展し、多くの住民が巻き込まれて命を落とした。

すべての自警団がこれほど過激なわけでも、頻繁に私刑を行っているわけでもない。ディップクルーフにも自警団はあるが、銃すら持ち歩いていなかった。しかし、その存在が外部の犯罪者に「畏《おそ》れ」を植え付け、抑止力になっているのは事実だろう。

となると、ニャイコが「よそ者が出歩いたらかなり危ない」といったのも合点がいく。何をしても後腐れがないわけで、犯罪者にとっては格好の標的だ。事実、ソウェトで育ったニャイコですら「知らないエリアには絶対に行かない」といった。そして、これこそツアーガイドがバラック小屋エリアでニャイコと交代した理由だったのだ。

改めてニャイコとともにバラック小屋エリアを歩いていると、人々の結束によって保たれる調和のようなものを肌で感じる。

貧しいのは事実だが、どこか温かで、庶民的な包容力に満ちている。あるおばあさんは、息子が都市部に家を買って招いてくれたが、結局ソウェトが恋しくなって戻ってきたと語った。電流フェンスが張り巡らされた住宅街に、この温かみは確かにない。

「ソウェトの人で自分のコミュニティが嫌いな人はいないと思うよ。『ホーム』という感じがする。だからここをもっと良くする仕事がしたいんだ」

じゃれつく子どもに囲まれ、ボクシングのつもりなのだろう、小さな手で繰り出されるパンチを掌で受け止めてやりながらニャイコはそんなことをいう。

自分に何かできることはないだろうか、などと考えた。

ニャイコは自分でツアー会社を興したいのだともいった。コミュニティに雇用をつくるのと同時に、ソウェトの現状を周知して、何か変化をもたらしたい。そのためにはどんなツアーをするべきなのか考えている、とも。

私を最初の「顧客」にしてくれないか、と提案した。

　私からは外国人から見たソウェトのイメージや、流布する噂、疑問に思うことなどを伝える。ニャイコはそれをもとに行程を考え、実際に私を連れて行く。もちろん料金は支払う。それを定期的に行い、その都度感想や発見をまとめて行程を修正していく。

　私はソウェトを知ることができ、ニャイコは会社の「予行練習」になる。相互にメリットのある提案に思えた。

「ぜひやりたい」

　ニャイコは即答した。目に力があった。何か大きな一歩を踏み出したような、わくわくする感情を2人で共有している感覚を抱いた。

「ところで」

　思い出したようにニャイコ、

「幼馴染が強盗をやっているんだけど話してみるか？」

　それは「友達に不動産屋がいるんだけど、いい物件あるか聞いてみようか？」というのと同じくらい気楽な口調だった。言っている内容とのギャップが大きすぎて即座に咀嚼《そしやく》ができず、ほとんど思考停止のまま頷いてしまった。

「すぐそこだ」と言ってニャイコが歩き始める。

　後ろをついていきながら、さまざまな思いが浮かんでくる。

これまで行動をともにしてニャイコの価値観に大きな齟齬《そご》を感じなかった。だからこそなんでもない様子で「幼馴染が強盗」といったことが驚きであり、強盗を生業にする者はそれほどありふれた存在なのかという疑問が生じた。

それに、このやり取りをしたのはまさに前日のツアーで歩いた場所で、「すぐそこ」ということは、観光客達は強盗の住まいの「すぐそこ」を歩いていたことになる。観光ツアーが行われる場所ならソウェトでも特別安全なエリアなのだろうと勝手に思い込んでおり、意外なほどの危険の「近さ」に小さくないショックを覚えた。

そして、そもそも「話してみるか」といったって強盗をいきなり訪ねて何を話すというのか。「で、どう？　最近の景気は」とでもいうのか。冷静に考えれば尋常にインタビューをすればいいだけの話だが、あまりにも展開が急すぎて頭の切り替えが追いつかなかった。

ツアーのコースから脇に入り、バラック小屋が軒を連ねる小道を進んでいく。

庭先で作物を育てている家があり、よく見るとマリファナだった。「売るためじゃない。自分たちで吸う分をつくっている」とニャイコ。これもツアーでは見なかったものだ。

果たして、強盗の住まいは本当にすぐそこだった。ツアーコースから2分も歩いていない。

周囲の家とまったく変わらない、粗末な小屋。クマのようなマンガのキャラクターがプリントされた子供用の服が物干し竿に揺れている。

「話をつけてくるから少し待っていてくれ」

強盗を生業とする男性

とニャイコが中に入っていき、数分後、戸口から手招きをした。

薄暗いなかに、中背の男が立っていた。目が慣れず、表情が読めない。ベッドと、衣服が乱雑に突っ込まれたカゴがあるだけの殺伐とした部屋。垢と香水の匂いに混じって、プールの消毒に使う塩素に似た香り。覚せい剤を吸引していたのかもしれなかった。数歩、歩み寄ると目と目が合った。

緊張を感じた。こちらの目を見ているはずなのに、焦点は遠く、私の後頭部のさらに先に合わせているような目つき。なんの感情も読み取れない、温度のない表情。自分とは別種の人間だ、という思いと、こういう連中はこういう態度で威圧してくるものだ呑まれるな、という思いが同時に生じる。

「ニャイコに聞いたと思うけど」

声が裏返っていたのが我ながら情けない。

「ソウェトの生活を取材してる。あなたの仕事について話を聞きたい」

男は表情を固定したまま答えた。

「ああ。何が知りたい？」

言葉に迷った。強盗してるのは本当？　なぜ強盗をするようになった？　どんな手口で？　質問は無数にあったが「強盗」という単語を発した瞬間に自分が強盗されそうな気がして躊躇《とまど》う。結局ストレートに「強盗を仕事にしている理由を教えてくれ」と尋ねた。

わかった、という感じで頷くと男は語り始める。

家が貧しかった。仕事がなかった。カネを稼ぐ唯一の方法が強盗だった。18歳から始めて、現在は26歳になった。俺たちは苛《さいな》まれている。生き残るためには強盗しかない。

聞いていくうちに、男にこちらを威圧する意図など欠片もなかったのだと理解した。

悪ぶって、乱暴な口調で、自分がいかに凶暴な人物かアピールするようならむしろ安心できた。自分がいかに不遇で、強盗をする正当性があることを力説してくれてもいい。そういう人間は理解の範疇だが、男はそれの外にいた。どこまでも淡々と、履歴書を読み上げるような口調で強盗になった経緯を語る人間には初めて出会った。だからこそ、「怖い」や「可哀想」ではなく、この男が「不気味」と感じた。

手口を尋ねると、男は枕の下に手を伸ばし、拳銃を取り出した。

見慣れない形式。グロックなどの警察で広く使われているものより一回り大きい。家の外からは子どもたちの遊ぶ声が聞こえてくる。現実感がない。男は語り続ける。

この銃で仕事をする。主な仕事場はＣＢＤや住宅街。仲間と４人で行動する。車で、人通りの少ないところで待ち伏せる。単身の通行人が来たら、１人か２人で車から降り、銃を突きつけて持ち物を奪う。自分がそれを担当することが多い。持ち物を奪ったら獲物は解放するが、銃で狙いをつけたまま遠く離れるまで待つ。充分な距離を確保したら車に乗ってその場を離れる。

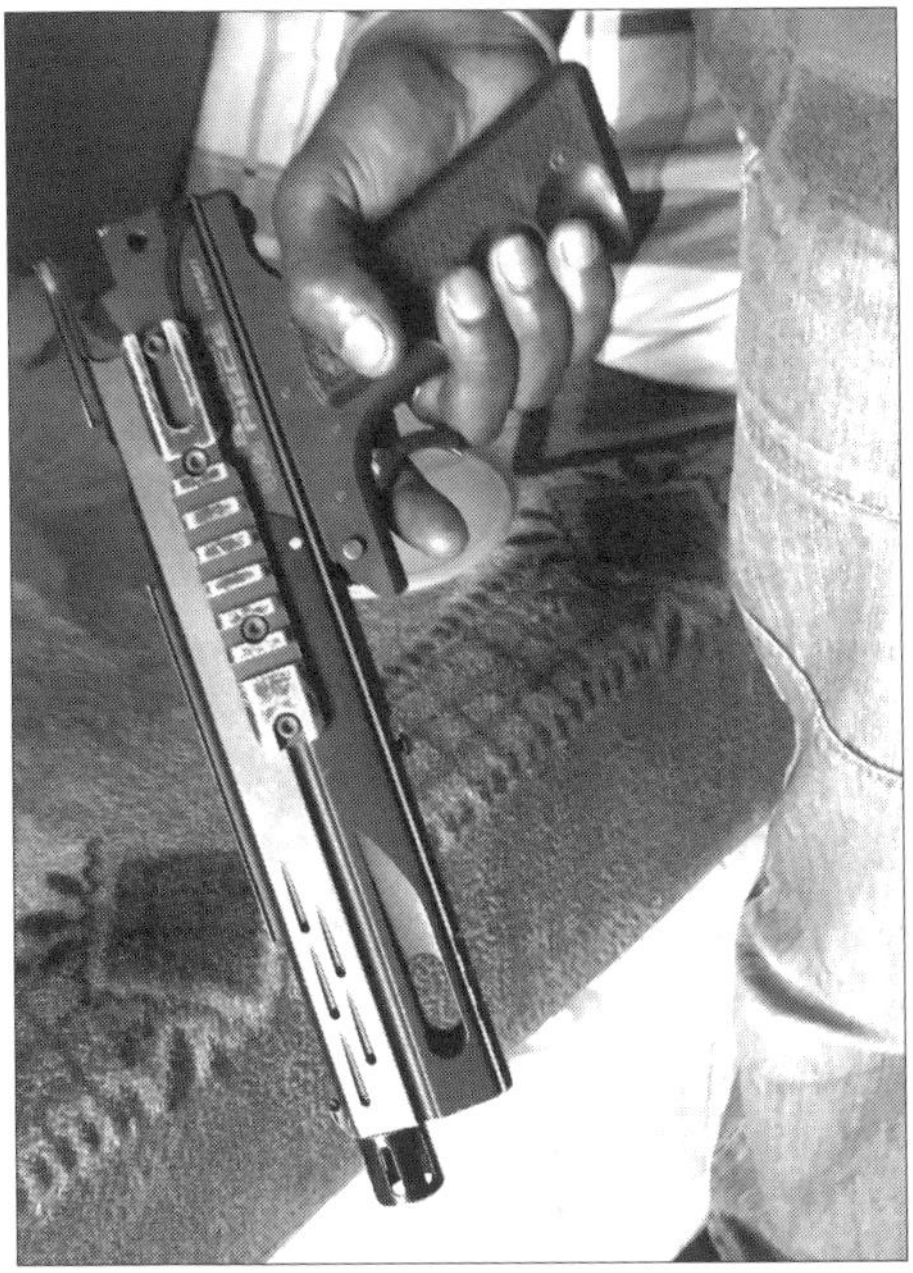
男が取り出した拳銃は大きかった

強盗を行う頻度は決まっておらず、カネがなくなったら行動を起こすという。手に入れたカネとモノは山分けし、月に１人５０００ランド（約４万円）ほどの〝収入〟であることが多い。

相手に接近し、銃を突きつけて強奪するまでの動作は実に手慣れていた。ズボンのウェストに隠した銃を右手で抜きながら、相手の右肩を左手で掴み、強く引く。すると相手の

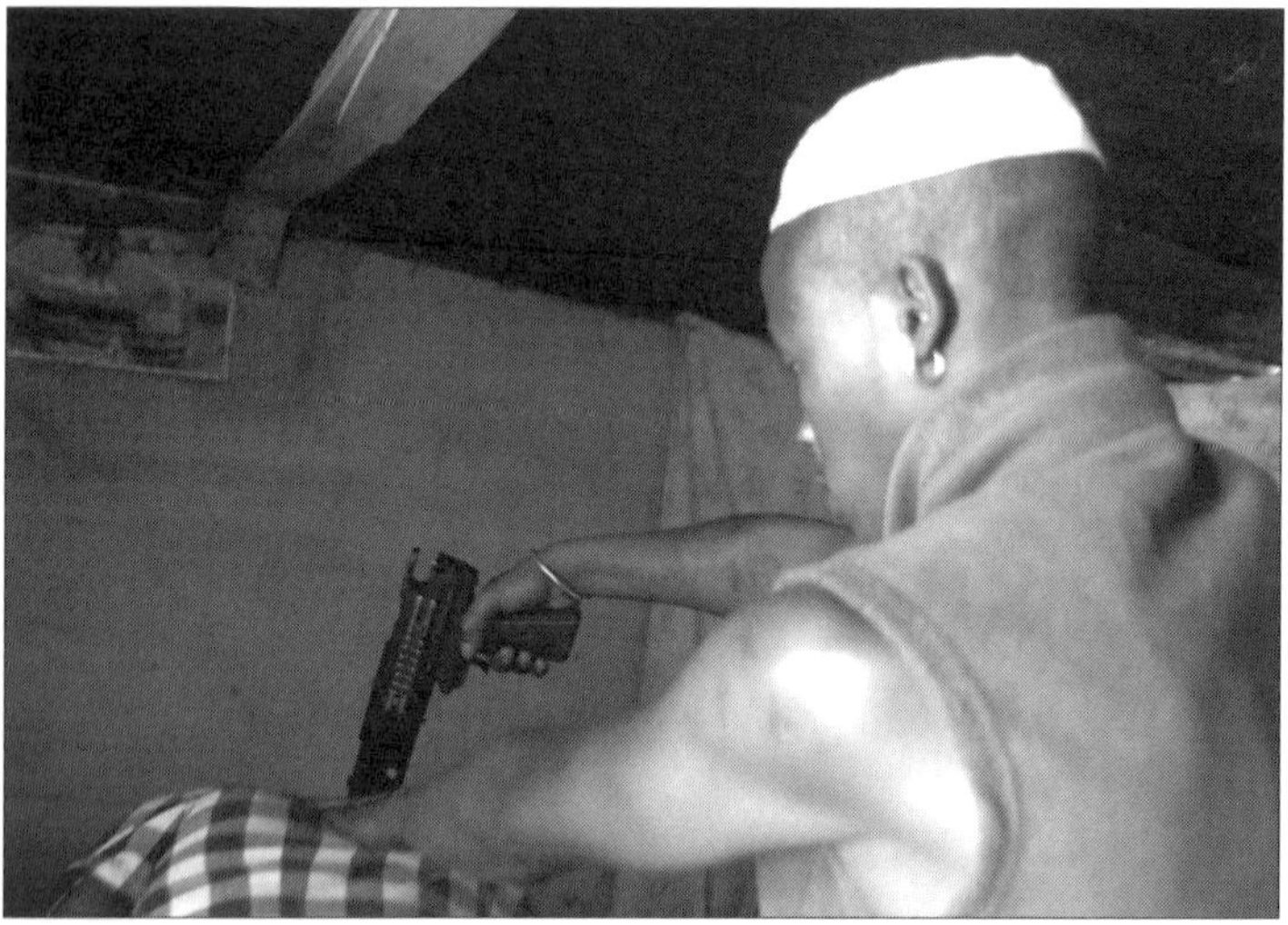
実に慣れた様子で強盗の手順を実演して見せた。拳銃はこの他に２丁所持しているという

上半身が左方向に周り、後頭部はこちらを向くので、そこに銃を突きつけてそのまま地面に押し倒す。相手は地面に手をつく形になり、抵抗ができない。右手で銃を突きつけたまま、左手でポケットを弄《まさぐ》り、財布や携帯電話を奪う。

なぜここまで詳しく描写できるかというと、男がニャイコに実際にやってみせたからだ。3秒もかからない早業だった。

人を殺したことはあるのか、とも尋ねた。

答えは「わからない」。抵抗されたり、大声を出されたりした場合は撃つ。胴体を撃つ場合が多い。正確な数が思い出せないくらいには人を撃ってきた。しかし、すぐにその場を離れるので、相手が死んだかどうかはわからない。

もうこのあたりから私の関心は、男に何か共感できる側面がないか、という一点になっていた。だから、強盗をすることに恐怖はないのか、と尋ねた。

闇雲な質問だったわけではない。２０１１年、私はペルーの首都リマで強盗を生業とする少年グループにインタビューをしたことがあった。そこで同じ質問をしており、少年たちははっきりと「怖い」と言った。反撃されるかもしれない。その場はよくとも後で報復されるかもしれない。その恐怖をごまかすためにドラッグを服用してから犯行に及ぶのだと。これだって普通の感覚からは大きく逸脱した話だが、少なくともそこに人間味があるし、気持ちはわかる。

男の答えは簡潔だった。「恐怖を感じることはない」。なぜそんな質問をするのか意味がわからない、というような怪訝の色さえ表情に混ざった。初めて顔に感情らしいものが浮かんだ瞬間でもあった。さらに、「俺は自分自身を信じている」と付け足した。

取材者として失格だと思うが、もうお手上げだった。この男を私は理解できない。ニャイコという友人の手前があるのだろう、この男はただ率直に、さらにいえば誠実に質問に答えている。そうした態度の結果として語られる内容がそれならば、彼が自分と同じ種類の生き物とは思えなかった。引き上げることにし、家族構成や来歴などの基本的な情報を確認し、そこで肝心なことを聞き忘れていたのに気付いた。狙うのは特定の人種なのか。

男は「白人」と即答する。

「白人はカネを持っている」

「アジア人は？」と私は聞いた。

再び、男の顔に感情が生じた。このときの表情は忘れがたい。それは苦笑だった。「お前、それを聞いてしまうの？」というような嘲りと可笑《おか》しみの混在を、こらえきれないといった形相。男は英語ではない言葉、おそらくコサ語でニャイコに何かを尋ね、ニャイコの「イエス」という返事を受けてから「その質問には答えない」といった。インタビューはこれで終わった。

のちにニャイコに聞いたところ、男は「こいつはお前の友達なんだよな？」と尋ねたという。となると、男はアジア人も標的にするのは明らかだったが、苦笑の裏側にはどんな意味があったのだろう。白人よりもアジア人の方が狙いやすく、あえて意識することもない当たり前の標的、というような構図があるならばああいった反応の説明がつく。チャイナタウンで話を聞いたトニーの顔が浮かんだ。

疲労困憊だった。個人的には人生観が揺さぶられるような体験だったが、ニャイコはまったく悪びれる様子もなく「参考になったか？」などと聞いてくる。

参考になったのだろうか。なったとしたら、一体何の？

ひとつだけ言えるのは、ソウェトの素顔を知るためにはもっと時間が必要であるということだけだった。

だが、私とニャイコの活動はしばらく間が空くことになる。インターン先の新聞社メール＆ガーディアンの仕事で、南アの地方を点々と旅することになったためだ。

第2章　アパルトヘイトの爪痕

奪われた土地

「白人が所有する土地を、一切の補償なしで政府が収用しようという動きがある」

メール＆ガーディアンの編集部。私とリチャードを前に、映像部門のデスクであるポールが切り出した。

「黒人に再分配するためだ。１９９４年にＡＮＣが与党になった当初からの公約だったが、今年（２０１８年）になってから動きが加速している。収用を可能にするための憲法改正を見据えた公聴会《こうちょうかい》が南ア全土で行われるんだ。編集部総出の取材になる。君たちにも行ってもらいたい」

その翌日にはリチャードが南ア北東部のリンポポ州に旅立ち、その翌週、私はリンポポ州の南に隣接するムプマランガ州に向かうことになった。

公聴会は南アの全9州、約30の都市で33回、２０１８年6月26日から8月4日にかけて行われることになっていた。この時期、あらゆるメディアがこの話題で持ちきりだった。社会が大きく変わるかもしれない、そんな期待と不安が入り混じった感情が、都市の空気に満ちていた。

ヨハネスブルグに到着してから2週間、はじめてこの都市を出る。南ア中を飛び回る旅の始まりだった。

なぜ、白人の土地を政府が収用しようとしているのか。それを知るために南アの歴史を振り返る必要がある。

南アの歴史を20文字以内でまとめるとすれば「白人の圧政から黒人が自由を勝ち取った」といったあたりが妥当だろうか。

植民地主義が吹き荒れていた17世紀、ヨーロッパの列強はアフリカ大陸に続々と進出し、ケーキを切り分けるように境界線を勝手に引いて植民地をつくってしまった。南アの建国は1910年（※イギリス連邦の一部として「南アフリカ連邦」の成立が1910年、のちにアパルトヘイトへの非難が高まったことからイギリス連邦を脱退する形で1961年に「南アフリカ共和国」が成立する）だが、前身はそうした植民地のひとつであり、その端緒《たんしょ》は1625年にオランダ東インド会社の面々がケープタウンに拠点を築いたときまで遡《さかのぼ》る。これを足がかりとして白人の躍進が始まり、黒人の伝統的共同体は解体され、20世紀になる頃には白人が黒人を搾取する社会構造がその輪郭を現していた。

こうした展開はアフリカのあちこちで見られたし、そういう時代だったといえばそこまでだが、他の植民地と異なるのは、南アだけが「奴隷制に並ぶ人道的犯罪」と呼ばれるアパルトヘイト体制を作り上げたことだ。歴史の成り立ちに単一の理由を求めるのはあまり意味がないが、あえてひとつ挙げるならイギリスのせいだ。

オランダ人たちだって先住民のコイコイ人を奴隷として扱っていたが、社会はまだ寛容だった。奴隷が白人の正妻になるなど混交が進んでいたし、両者の文化は影響し合い、溶け合って、新たな文化も誕生した。現在のオランダ系の南ア白人が話す「アフリカーンス語」はその落とし子。そもそも当時の白人が支配していたのはケープ地方のみで、現在の南アの領土からみればかなり控えめなものだった。

状況は、1806年にイギリスがケープタウンを占領することで変わり始める。

イギリスはまず、奴隷制を廃止した。字面としては善行のようにも思えるが、結果としての歴史の流転は皮肉なものだ。オランダ人（というよりは、この時期の南アにいたオランダ系の白人は「アフリカ人」としてのアイデンティティをすでに確立していたため、彼ら自身が名乗るように「アフリカーナー」と呼ぶのが適切だが）は奴隷制廃止への反感から、奴隷を引き連れて内陸部への移動を開始する。聖書を読み解いた結果、内陸部には神がくれた「約束の地」があるという結論に達したからだそうだ。

聖書の予言は、ともすれば正しかったのかもしれない。1800年代後半、アフリカーナーたちは現在のヨハネスブルグにあたる地域などで金やダイヤモンドの大鉱脈を発見するのだから。

当時の内陸部にはコサ人の首長国や強大なズールー王国が存在しており、当初のイギリスはそれほど進出に意欲的ではなかった。しかし、この発見で方針が大きく変わる。大規模な軍事力を投入し、内陸部への干渉を強め、鉱脈を所有するアフリカーナーの独立国家を併合・領有化していった。このときの衝突が世界史で習う「ボーア戦争」であり、ボーアとはアフリカーンス語で「農民」、転じてアフリカーナーの別名でもある。その過程で先住民の国々も併合され、1910年、現在の南アとナミビアにあたる領域を版図とする「南アフリカ連邦」が成立した。

アパルトヘイト体制が続いたのは1948年から1994年までの約半世紀といわれることが多いが、実のところ連邦成立の直後から着々とその前段となる法律がつくられていた。

1911年の「鉱山労働法」、1913年の「原住民維持法（※原住民土地法という日本語訳もある）」、1923年の「原住民（都市地域）法」などによって、黒人の権利は大幅に制限されていった。

なぜこんな法律が必要だったのか。

一言でいえばイギリス系白人によるアフリカーナーの懐柔策《かいじゅう》だ。

ボーア戦争の敗戦を経て、アフリカーナーたちはイギリス連邦の一員になった。昨日の敵は今日の友、同じ白人であるのだから手を取り合って頑張ろうということになったわけだが、現実はそれほど単純ではない。戦争で土地を失ったアフリカーナーたちは都市に流入したが、それを受け止めきれるほどの産業基盤は存在しなかった。職にあぶれる者が増え、結果として南アは「白い貧困層」が誕生する危機を迎えてしまう。

人種的優位が根強く信じられていた20世紀初頭にあって、これは白人たちの最強の免罪符になった。なにせ、人は平等であるべきだから。黒人が住む場所を制限され、やがては従事できる職業も限定され、最低賃金や組合結成の権利を認められなかったのは、ひとえにアフリカーナーの貧困層を守るためだった。

しかし、イギリス系白人とアフリカーナーの格差はそう簡単には埋まらない。この時点での黒人差別はアパルトヘイト時代ほど厳格なものではなかったし、時勢の影響もあった。1939年の第二次世界大戦勃発。戦時特需からなし崩し的に熟練労働市場への黒人の進出が許容され、生活水準が上がる者も現れてくる。「上」のイギリス系白人には一向に追いつけず、「下」からは黒人たちが追い上げてくる。その狭間で醸成されたアフリカーナーのフラストレーションは、やがて極端な民族主義として結実する。

1948年の総選挙で、白人と黒人の完全な分離政策を掲げた国民党（NP）が過半数の票を獲得したのは、白人しか選挙権を持たず、白人総人口の3分の2をアフリカーナーが占めた当時の南アでは当然の結果だったのだろう。

こうしてアフリカーンス語で「分離・隔離」を意味するアパルトヘイトは産声を上げた。アパルトヘイトは政策、いわば政府の方針を指す呼び名であって、その実体はNPが作り出した無数の法律だ。人口登録法、バントゥー教育法、集団地域法、隔離施設留保法、パス法、雑婚禁止法など、解釈によって数は増減するが、国連によると316。その結果として形作られた社会は、ご存知の通りきわめていびつなものだった。

黒人には事実上義務教育も、参政権もなかった。基本的な人権がなかったと考えていい。黒人は身分証明書の所持が義務付けられ、未所持の場合は逮捕されたという話は有名だが、実のところたいていの状況で、警官は令状なしで黒人を逮捕できた。「なまけ者だと信ずる理由がある」といった言いがかりのような言い分で。

都市における白人と黒人の生活空間は完全に切り分けられた。飲食店やホテル、列車やバスといった交通サービス、公園や病院、教会、海水浴場、公衆トイレまですべて白人用とそれ以外が設けられ、黒人用は総じて粗末なものだった。白人用の施設に迷い込んでしまった黒人はどうなったか。逮捕された。

だが、これらは言ってみればアパルトヘイトの「表層」の部分だ。だから目立つし、エピソードとして語り継がれる。こうした差別は国際的な非難が高まり始めた１９８０年代には鳴りを潜めていく。そのため「小アパルトヘイト」と呼ばれている。

小があれば大もあるわけだ。

「大アパルトヘイト」こそ、ＮＰが最後の最後まで死守しようとしたアパルトヘイトの根幹であり、社会が存続しているのが不思議なほどの失業率の高さ、貧困、頻発する犯罪といった今日の南アが抱える病理の根源なのだ。

その骨子は、国土の13パーセントにあたる10のエリアを「ホームランド」と名付け、黒人はそこにしか住めないと定めたことだ。建前では「自治区」だったが、要は黒人を特定のエリアに閉じ込めるための方策だった。

ここでふたつの疑問を抱かれるかもしれない。

ひとつは、ヨハネスブルグやケープタウンなどに黒人は住んでいなかったのか。住んでいた。ホームランドの大部分は農業にも適さない荒れ地で、産業が育つ環境ではなかったため、多くの者が都市部に出稼ぎに来ていた。しかしホームランドから出るには政府の許可が必要だったし、先述のとおり都市部でも徹底して人種ごとに住むエリアは分けられた。そうした黒人が暮らしたエリアがソウェトなどのタウンシップの源流となっていく。

もうひとつは、黒人を自治区に押し込めることがどのように今日まで続く宿痾に結びつくのか。もとから黒人が特定の地域にまとまって暮らしており、それらをホームランドに指定したなら話はまだ穏当だった。だが実際は、かつて植民地主義者がアフリカの大地を切り分けたように、政府が都合の良い範囲を勝手にそう決めた。

人口のほとんどを占める黒人に対してたった13パーセントの土地である。残りの87パーセントに住んでいた黒人は土地を奪われ、強制的にホームランドに移住させられた。そうした人々の生業は、祖先から代々暮らしてきた土地で作物を育てたり、牧畜をしたりすること。土地との結びつきを絶たれた人々が生きる術といえば、白人が経営する鉱山や工場などで奴隷のように働くか、都市部の白人家庭で家政婦になる程度のものだ。半世紀近くにわたって熟練労働市場から締め出されていたという背景が、今日の黒人の貧困、ひいては「生きるためには犯罪者になるしかない」という状況につながった。

南アの歴史を20文字以内で要約すれば「白人の圧政から黒人が自由を勝ち取った」と先ほど述

べた。確かに自由は手にしたが、まだ取り戻してないものは無数にあるわけだ。ホームランドがつくられた際に奪われた土地はその最たるもの。現在持ち上がっている憲法改正の最終的なゴールは、それを持ち主に戻すことなのだ。

7月2日、カメラマンのデルウィンと記者のルカス、そして私がムプマランガ州の都市ムボンベラに到着したとき、時刻は正午を少しまわっていた。会場の市民ホールではすでに公聴会が始まっており、それでも入り口の金属探知機の前には人が長蛇の列をつくっている。

ヨハネスブルグからこの街まで約350㎞、車で4時間ほどであり、本来は開場前に到着しているはずだった。なにせ朝4時に出発したのだ。しかしハンドルを握るデルウィンが、オレンジの直売所を見るや車を停めて試食品に舌鼓を打ったり、景色が良い丘でひなたぼっこに興じたりと散々道草をくったためこんな時間になってしまった。デルウィンはいつでもそういう人なのだ。

ホールのなかは熱気が立ち込めていた。

ステージ上には長机が置かれ、明らかに政治家や役人といった風情が顔を並べている。それと向き合う形で市民の座席。ざっと椅子の数は400ほどだが、来場者は収まりきらず、椅子に座る人と同じくらいが床に腰をおろしている。

客席の中央が通路になっており、ステージに対峙する最前列のあたりにスタンドマイクが置かれ、市民が列になって順番待ちをしているのが目に入った。

「ああやって次々に自分の意見を言っていくんだ。ステージの上にいるのが憲法審査委員会。市民の声を直接聞いて意思決定に反映させる、って趣向」とデルウィン。「政治ショー以上の意味はないだろうがね」と声を潜めて付け加えた。

日本の一般的な公聴会がどのような形なのかわからないが、これは非常に大胆な取り組みだな、というのが第一の印象だった。テレビ局の撮影クルーも現場入りしており、全ての発言が全国ネットで放送される。1人の持ち時間は3分。それが過ぎるとマイクの電源が切られ、強制的に次の人に交代になる。そのためかありったけの思いをぶちまけるように熱弁する人が多く、周囲からは歓声やときにはブーイングが飛び交い、政治行事というよりは祭りのような雰囲気がある。

耳を傾けていると、憲法改正に賛成する意見が圧倒的に多かった。

南アフリカ共和国憲法第25条。これは個人の財産権を保障するもので、要約すると「個人の財産の差し押さえは公共の目的に適う場合に限られ、差し押さえの際には相応の賠償が支払われる」といった意味になる。キモは「相応の賠償が支払われる」という点だ。白人から土地を収用し、黒人に再分配するプロセスをスムーズに行うため、これを削除しようというのが今回の改正の趣旨だった。

「タダで奪ったものをタダで返すのは当然だ」

「先祖の土地を取り返すのになぜ賠償が必要なんだ」

「白人はいまだに黒人を搾取している。白人を守る憲法は必要ない」

ムプマランガの公聴会の様子。中央でスピーチを行う人々が列をつくっている

人々は口々にそう訴える。

会場を見渡せば賛成が圧倒的多数になる理由がわかる。９割近くが黒人なのだ。黒人が８割、白人が１割という南アの人口比からすれば自然ともいえるが、それ以上に、〝被害者〟である黒人が主人公となるこの公聴会に出席したいと考える白人がそれほど多いとは思えない。たとえ財産を失う当事者であっても、この場に足を運んで反対意見を述べる胆力がある者は稀だろう。実際、会場にいた白人は総じて肩身が狭そうに見えた。

意外だったのは、どちらも少数であるが、賛成派の白人と反対派の黒人もいたことだ。前者の主張は黒人の賛成派と同様のもので、人道的理由から白人は罪を償わなければならないという趣旨。毛色が違うのは後者だ。道理として奪った土地を返すべきであることは肯定しつつ、経済的な混乱が起きる可能性を挙げ、性急な憲法改正と土地収用の執行は避けるべきだと訴える。

というのは、白人から土地を収用するといった場合、それは実質、白人農家の農地を黒人に分配することを指す。そこで問題になってくるのが、白人農家はノウハウをもち、この国の食料自給率の大部分を担っているという事実であり、黒人には大規模農業のノウハウなどないことだ。それを無視して白人農家の土地を細切れにしてしまったら、この国の農業は崩壊する、そう言っているのだ。実際、それを実行に移してしまったのが隣国のジンバブエであって、結果として年間約2億3000万パーセント（2009年）という未曾有のインフレが発生し、社会は徹底的に荒廃した。

とはいえ、異邦人たる私からすれば的を射たものに思えるそうした意見は、矢継ぎ早に発される黒人の怒りと会場の熱狂にかき消されていく。

「すごい空間だと思わないか」

とルカスが言った。この公聴会が行われているムプマランガ州で特派員をしている40代の黒人ジャーナリストで、この日が初対面だった。

「全てをもっている白人が、あばら家に住む黒人の隣に座っている。どちらも3分という同じ条件で発言しなければならない。白人と黒人が平等なわけだ。こんな光景、この国じゃなかなか見られないぞ」

そう語る彼は高揚しているように見えた。

ほとんどが黒人だったが、白人の参加者もあった

果たしてこれは本当に「平等」なのだろうか、そんな思いがよぎる。ルカスとのやり取りの間に「自分は黒人に雇用を生み出している」と主張した反対派の白人農家がブーイングに晒されて引っ込んでいった。デルウィンがいった「政治ショー」という言葉が頭のなかで反響する。

ルカスを非難するわけではない。しかし、彼が見ている光景と、白人たちが見る光景、加えて言うなら私が見る光景は果たして同じものなのか。そんな疑問とも呼べないような引っ掛かりを抱いた。

夕刻を間近に、公聴会は終了した。

翌日は車で2時間半ほどのムスカリグワという都市で公聴会がある。さっさとホテルに引き上げて映像の編集を始める必要があった。

「明日の公聴会取材はキャンセルだ」

撤収作業をしていた私とデルウィンにルカス

がいう。

「土地を奪われた当事者にインタビューできることになった。明日はその取材にあたろう」

大地と尊厳

色とりどりの錠剤を、慎重に数えながら手のひらの上にのせていく。高血圧、リュウマチ、痰を抑えるためのもの……お気に入りの盆栽を手入れしているような風情。皺が深く刻まれた彼の手にはカラフルな山ができた。

「私の〝主食〟だよ」

冗談を言って、水でそれらを流し込む。今年で93歳になるムサカシ・マカンヤさんの日課だった。

ムボンベラでの公聴会の翌日、私たちは車で北に4時間ほどの寒村にいた。アパルトヘイト政府によって土地を奪われ、強制的に移住させられたというムサカシさんにインタビューするためだ。

きっかけは、公聴会で発言したムサカシさんの息子にルカスが声をかけたこと。通院のため、来ることができなかったムサカシさんのメッセージを伝えるために参加していた。

薬の箱を戸棚に仕舞い、ムサカシさんがソファへと移る。

かつてアパルトヘイト政府に土地を奪われたムサカシ・マカンヤさん

普通の家だった。ダイニングセットがあり、テレビがあり、庭には車も停まっている。豪勢とはいえないが、「土地の簒奪《さんだつ》」という歴史の教科書でしか見ないような悲劇と現状が結びつかない。

「私たち黒人にとって、土地は財産以上の意味がある。それを取り返すのに必要だと思うから、私は憲法改正に賛成している」

私たちを見据え、しっかりとした語調で彼はそう切り出した。

まさに「白人に翻弄《ほんろう》された」半生だった。

ムサカシさんが物心ついたころ、彼の家族は100頭からの羊と牛を放牧して暮らす農家だった。牧童を3人雇っていて、幼い彼を兄弟のように可愛がってくれたという。

綻《ほころ》びは、アパルトヘイトの前から生じ始めた。

1938年、口蹄疫《こうていえき》が発生し、ムプマランガ州行政府は彼の一家に家畜の全頭処分を命じた。防疫の観点からはしかたないところもある。問題は、彼らが黒人だからという理由で一切の補償が行われなかったことだ。

それ以来、父から笑顔が消えた。ふさぎ込むようになり、いつも日陰に座って、動物たちの遺体を埋めたあたりを眺めていたとムサカシさんは振り返る。1945年、父が亡くなった。

それでも細々と農業を続けていた彼らの生活が完全に破局を迎えたのは1954年のことだ。

「政府のブルドーザーとトラックがやってきた。何もわからないままトラックの荷台に乗せられ、50㎞ほど離れた荒地に放り出された。家財を持ち出す暇もなかった」

雨が降っていた。木の下で母と兄弟と身を寄せ合い、寒さを凌《しの》いで夜を明かした。

ムサカシさんはその日のことを今でも克明に思い出せると語る。怒りよりも「なぜ自分たちがこんな目に遭わなければならないのか」という疑問が先立った。そしてこの先どうやって暮らしていけばいいのか、ただ不安だった。

彼らが放り出された場所こそが「ホームランド」だった。彼らの土地は白人の手に渡り、広大な農園が築かれたと後年、人伝いに知った。

「ヒトラーとの戦争（第二次世界大戦）の後、戦争から帰ってきた白人にはそうやって土地が与えられたんだ。同じ戦争を戦ったはずなのに黒人はコート1着と自転車しかもらえなかった。白人は決して正当な手段で土地を得たわけではない。私たちから奪ったんだ」

荒地に小屋をつくり暮らし始めたが、生計を立てる手段はない。しかたなくムサカシさんは遠方の白人農家に住み込みで働き始めた。土地を奪われた心労から母は病気がちになっていた。1962年に母が亡くなった時、死に目に居合わせることもできなかった。

人が体験できるすべての悲しみは味わってきたとムサカシさんは信じていた。そんな悲壮な自負すら砕かれる。

アパルトヘイトが終焉《しゅうえん》し、かつての自分たちの土地を訪ねた。父の墓があったからだ。このとき、憎しみからも涙が流れることを知ったのだとムサカシさんはいう。かつての風景は失われ、見渡す限りにサトウキビが整然と植えられた緑の大地の只中、父の墓があった場所は、空にそびえる送電塔に潰されていた。

「まだ土地は私たちのところに戻ってきていない。現状のままでは駄目なのだ。だから私は憲法改正に賛成する」

インタビューを終え、彼の父の墓を訪ねることになった。

車窓からの風景は、荒地と、整然とした大農園が交互に繰り返され、黒人のものであろう家庭菜園の域を出ない畑を備えた簡素な家が時折顔を出す。

立派な農園がたくさんありますね、とムサカシさんに問いかけると、

「あれはすべて白人のものだ」

と毒づくようにいった。

この風景が象徴するように、南アの農業は徹底的に二極化している。

アパルトヘイト時代、白人農家が見渡す限りの大農場を所有し、国内の食料供給の大部分を担う一方で、黒人農家は雀の涙ほどの零細農業を主に自給目的で行った。基本的にこの構図は現在でも変わっていない。

政府がこれまで何もしなかったわけではない。ネルソン・マンデラ率いるＡＮＣは復興開発計画において「民主化後最初の5年間（つまり、１９９８年まで）に農地の30パーセントを黒人に移転する」と謳《うた》った。しかし、計画は遅々として進まない。２０１７年の段階で移転が完了した農地は当初の予定の３分の1だ。土地の権利委譲という膨大な事務が発生するプロジェクトなのに、割り当てられた予算が極めて少なかったため（国家予算の０・15パーセント～０・44パーセント）、一部のエリートが汚職によって土地を横取りしてしまうケースがあったため、など理由はいくつも挙げられるが、やはり最大のネックは憲法25条だった。土地を白人から黒人に移転する際には、憲法25条が定める「公正で公平な賠償金」を政府が白人に支払うことになっていたが、価格交渉が難航し、事実上凍結される案件が多かったのだ。

なぜ２０１８年になって憲法改正の動きが活発化したかというと、ＥＦＦという極左政党の存在がある。

ＥＦＦは若い政党だ。ＡＮＣ青年同盟の議長を務めながらも、数々の問題行動からＡＮＣから追放されたジュリアス・マレマによって２０１３年に結成された。このジュリアス、強烈なキャラクターで有名だ。まるで軍服のような赤いベレー帽と作業服に身を包み、国会では大統領にヤジを連発、議事堂から退場させられるのも日常茶飯事。あるスピーチでは「白人は〝まだ〟殺さない」と語り、白人に対する憎悪も隠さない。政策も極端だ。大企業が独占している鉱山を国有化する、などと強弁する。獲得議席は多くないものの、黒人の貧困層を中心に支持を伸ばしており、南ア政治においてその存在感はひじょうに大きい。そんなジュリアスが近年大々的に主張しているのが「農地をすべて国有化して黒人に分配する」という政策だった。

ここまでなら過激な政治家の大言壮語で片付く。が、ANCが呼応したものだから事態は大きく転換する。

2017年12月、ANCは党大会で「賠償金なしでの土地収用を可能にするための憲法改正」を決議。2018年2月には国会で「憲法25条改正動議」が可決され、憲法審査委員会が結成された。事実上、ANCがEFFの政策に「乗った」形になる。

もちろん賛否両論だ。とくに有識者からは南ア農業が崩壊するとして反対意見が多い。しかし、ムサカシさんのように実際に土地を奪われ、いまだ取り戻せていない人々にとっては天から垂らされた蜘蛛の糸に違いなかった。

父の墓まで、彼の家から車で1時間半ほどかかった。

丘陵が緩やかにカールして、地平線まで消失と出現を繰り返している。等間隔で植えられたサトウキビの苗木がどこまでも続いていた。そんな風景を二分するように巨大な送電塔が数百メー

以前ムサカシさん一族のものだった土地は現在でも白人の農家が所有している

トルごとに立つ。そのうちのひとつの前で足を止めた。

「ここだ」

錆の浮いた、ただの無骨な鉄の塊。地面に接する4本の支柱、それが切り取る一辺が6メートルほどの四角形の一部を指差し、

「ここに父が眠っている」

とムサカシさんはいった。3ヶ月前に手向けたという、白い供花《きょうか》が干からびていた。

デルウィンも、ルカスも、私も言葉を発せなかった。

こんなことがあるんだろうか。墓標はない。土が盛られているわけでもない。そうしたものをつくる権利もない。私は信心深い人間ではないが、せめて命が潰えた後くらい、その者の眠りは安寧とともにあって欲しいと思う。そう信じられることが残された者の救いになるから

かつて父の墓があった場所。現在は送電塔が立っている

だ。もちろん、理解はしている。これだけ広大な土地を開墾《かいこん》するときに、農場主が先人の墓に配慮できたとは思えないし、送電塔が墓の上に立ったのは単なる偶然だろう。それでも、目の前の光景はあまりに不条理だった。

緑の地平を振り返り、ムサカシさんはそれを眺める。皺の刻まれた93歳の顔には、なんの表情もない。

ずっと何かから切り離されて生きてきた気がする、と彼はいう。宙ぶらりんのような、在るべきものが欠落しているような、そんな感慨がつねにあったのだと。

情けない話だが、私はその場にいるのがつらかった。国籍、肌の色、歩んできた歴史の異なる私が、ムサカシさんの感情を正しく理解することはできない。その悲しみの大きさ、痛ましさを想像することはできるし、それは一見、理解と似ている。だが、想像と理解の間には決して埋まることのない溝がある。そんな人間が彼の話を聞く資格があるのか、という罪悪感があった。

後に、ルカスは「土地の問題は尊厳の問題なのだ」と教えてくれた。白人がやってくるずっと昔から、黒人たちは土を耕して生きてきた。土地は命そのものであり、土地との結びつきは祖先との結びつきであり、それと切り離されることはアイデンティティの喪失を意味するのだと。土地を取り戻すその日まで、アパルトヘイトは終わらないのだと。

風が吹いていた。雨が今にも降りそうな、湿り気を帯びた重い風。擦れ合うサトウキビの葉が潮騒のようで。

「私はここに眠りたい」

風景に視線をやりながら、ムサカシさんは呟いた。その言葉はかき消されることなく私たちの耳に届いた。

地方から見える南アの歪み

南アフリカには「世界一」とか、「世界で唯一」とか、「世界でトップクラス」といったものが多い。

金の採掘量はピーク時の1970年代には年間1000トンもあり、ダントツで世界一だった（現在は縮小していて、中国やオーストラリア、ロシアなどに抜かれている。2017年の採掘量は145トン）。ネルソン・マンデラが公布した現憲法は世界で最も民主的と評されているし、6種類の色が使われている国旗は世界で最も色数が多い（南スーダンと同数）。また、世界で唯一の「開発に成功した核兵器」を廃絶した国でもある。

もちろん、悪い方の「世界一」もたくさんある。

10人に1人以上、総人口約5500万人のおよそ11パーセントに当たる620万人がHIVに感染している。これは世界最悪の数字だ。

所得格差も世界一大きい。所得の不平等さを測る指標に「ジニ係数」というものがある。ゼロに近いほど格差は小さく、1に近いほど大きいことを示すが、南アのそれは0・62（2016年）と世界第2位の中国の0・51を大きく引き離す。ちなみに日本は0・34だ。

これまで何度も述べたとおり犯罪件数も多い。殺人についてはアパルトヘイトが撤廃されてからは減少傾向にあり、現在はメキシコやベネズエラなどに抜かれているが、アパルトヘイト末期にあたる1992年の10万人あたり78人という数字は、戦争地域を除けば世界最悪の水準だった。

そしてアパルトヘイト。「奴隷制と並ぶ人道的犯罪」と呼ばれるが、奴隷制を敷いた国はいくつもあれど、アパルトヘイトを構築したのは南アだけだ。

南アが話題にのぼるとき、関心を集めがちなのはこうした悪い方の「世界一」だろう。ルカスは皮肉交じりにこの国を「社会問題先進国」と呼んだ。ＨＩＶや格差、犯罪だけではない。人種・性別・国籍・民族などあらゆる差異を対象とした差別、権力者の汚職、都市の空洞化、人材の海外流出、伝統的価値観と近代的価値観の軋轢など、現代が直面するおよそすべての社会問題が渦巻いている。それもひじょうに深刻な水準で。そうした有様を指して「南アには世界がある」と述べる研究者やジャーナリストもいるほどだ。

社会問題には原因がある。こと南アの場合、その根っこは往々にしてアパルトヘイトだ。ＨＩＶの正しい知識が普及しないのも、高賃金の職につける黒人が少ないのも、犯罪に手を染める者が後を絶たないのも、黒人たちを隔離し、教育や職業訓練をおざなりにしてきたから、という理屈でざっくりと説明できる。

ヨハネスブルグで活動を始めた当初、こうした状況について私は漠然と「アパルトヘイトによって社会が歪められた結果なのだな」と考え、ある程度納得していた。だが、よくよく考えてみると「社会の歪み」という言葉は、何かを言っているようにみえて実は何も言っていない。

さらにいえばヨハネスブルグだけをみてもその歪みの実体を知ることはできない。ヨハネスブルグも相当に「歪んだ」都市ではあるが、それは南アという国の底流に存在する大きな歪みが表出した一例でしかないからだ。

その点において、憲法改正の公聴会を巡って南アのあちこちを旅できたのは大きな収穫になった。何千㎞も車で走り、国土を眺め、さまざまな人と話ができたことで、「社会の歪み」なるもの

地方の黒人世帯がもつ一般的な畑。家族で消費する野菜を育てるので精一杯だ

の具体的な在り様を、氷山の一角に違いはないのだろうが、感じ取ることができた。

その最たるものが地方農村の不在である。ムサカシさんの父の墓を訪ねた際にも感じたことだが、地方で見かける農園といえば白人が所有する大規模農園ばかりで、黒人が所有するものはせいぜい自給自足のためのもの。ビジネスとして成立する規模の農業を営んでいる黒人世帯はほとんど目にしなかった。

肝心なことは、白人は少数派だし、そもそも白人の大規模農園は効率化が進んでいて、見かけほど大きな雇用を生まない点である。すなわち、南アの農業は労働人口の受け皿にならないのだ。

南アの1人当たりGDPは約6000ドル（2017年）だが、このくらいの水準の国にとって地方農村は社会を健全に保つために重要な存在だ。職につけない者を収容する緩衝帯の役割を担ってくれる。結局、そうした緩衝帯が存在しないから、仕事を失えば即座に生活が行き詰まるし、犯罪で生計を立てるという選択を強いられてしまう。

ジェトロ（日本貿易振興機構）のヨハネスブルグセンター長を務めた平野克己氏は「農村らしい農村をもたない点は南アフリカの悲劇の歴史がもたらした特殊性」として、「南アフリカの大量失業は、産業構造のあり方が生み出している。（中略）つまり構造的な失業なのだ」と書いている。2009年のことだ。

10年が過ぎた現在でもその状況は変わっていないように見える。あちこちを車で走り回るだけで（数百〜数千㎞という大移動ではあったけれど）、本当に農村がないのだな、と実感できるのはなかなかすごいことだ。

産業構造という点において、もうひとつの南アの不幸は、裾野の広い製造業を生み出せなかったことも挙げられる。これもアパルトヘイトのせいだ。

アパルトヘイト時代、南アの白人人口はピーク時でも500万人。隔離されていた黒人たちはもちろん消費者になり得なかったから、製造業の国内市場は極めて限られていた。結果として規模の経済が働かず、経済発展を牽引する産業へと成長できなかったのだ。それでも南アがアフリカトップクラスの経済大国になれたのは豊富な鉱物資源を有していたためなのだが、近年の採掘量の縮小、そこに製造業の裾野が狭いことが相まって、現在の長引く不況の原因のひとつになっている。

そうしたなかで、地方の黒人たちは何で生計を立てているのだろうか。鉱山やヨハネスブルグなどの大都市へ出稼ぎにいった親族の送金、観光客が来るような場所ならガイド業、建設作業などの日雇いの仕事で食いつなぐ者もいるが、政府から支給される年金や老人手当が収入の柱という世帯も少なくない。ムプマランガ州で話を聞いた男性は「アパルトヘイトが終わっても結局暮らしぶりが変わっていない」と嘆いた。

人口の8割以上を国土の13パーセントに押し込めたアパルトヘイトは、人権だけでなく経済的な合理性も欠いていたわけだ。それが半世紀近くも続いてしまった。一度固まった産業構造を変えるのにどれほどの時間と労力が必要なのか、考えるだけで気が遠くなる。

第3章　白人の世界

この国で白人として生きるということ

南アの黒人たちの多くはいまだアパルトヘイトの後遺症に苛まれている。ではアパルトヘイトの「搾取側」だった白人はどのような境遇にあるのか。

ヨハネスブルグ到着後の最初の1週間をホテルで過ごした私は、その後、ジェイソンという白人男性のお宅に間借りしていた。

南アの白人はイギリス系と、オランダにルーツをもつアフリカーナーに大別される。一般に、イギリス系は都市生活者が多く、比較的裕福で、アパルトヘイトの時代もそれ以降もシニカルな傍観者然とした態度が見られるといわれ、アフリカーナーは地方在住者が多く、ワイルドな気風があり、アパルトヘイト撤廃後は自信を喪失しているといわれる。ジェイソンはイギリス系で、美術の先生をしており、ブレットというボーイフレンドと2人暮らしをしていた。

ポップアートが所狭しと配された室内はとても洒脱で、休日には裏庭の芝生で寝そべりながらシャンパンを飲む姿が優雅だった。週末ごとに友人が訪れ、手料理を振る舞ってパーティをする。素敵な生活だと思えた。

しかし数週間が過ぎた頃、その生活はきわめて静的なものだと感じるようになった。出勤と食

ジェイソン（左端）は週末ごとに友人を招き、手料理を振る舞う

材の買い出しを除けば、彼らはほとんど外出しない。平日の過ごし方は定規で描いたかのようだ。いつも決まった時間に帰宅し、夕食をこしらえ、ネットフリックスのドラマを視聴して、敷地のセキュリティセンサーがきちんと働いていることを確認して床につく。週末のパーティに参加する顔ぶれはいつも決まっていた。限定的な安全地帯で、息を潜めているような暮らし。

どの部屋の窓からも、電流が流れるフェンスが見えた。外部の脅威を切り離すための鉄線。それを眺める生活が続くと、やがて外部から切り離されているのは自分たちなのではないかと思うようになった。

現在でも南アの白人世帯の平均収入は黒人の4倍以上だ。ジェイソンたちが経済的に恵まれているのは明らかであり、幸せそうな顔も数多く見た。親切で、優しく、私は彼らが好きだった。

だが、一緒に暮らしていると漠然とした不安が胸の中に広がっていくのも否定できない事実だった。

強く印象に残っているジェイソンの言葉がある。

ジェイソンと旧知のアナという女性が訪ねてきたときのことだ。半年ほどアジアを旅して周った帰りで、貧困層に教育を普及させる非営利団体に就職が決まっていた。アナは社会問題について熱心に語る人だった。ジェイソンやブレットは普段そういったことを話さない。好きではないのだろうと思い、私も話題にしなかった。

アナを囲んで食事をしていると会話がそうした方向に流れていくので、軽い気持ちで「南アの未来はどうなっていくのだろうか」と彼女に尋ねた。

「若い世代の間では人種間の融和も進んでいる。問題はたくさんあるけれど、きっと乗り越えていける」

と彼女は答えた。ジェイソンはそれを聞き、優しい顔で頷いていた。

だが、アナが寝室に引き上げた後、ジェイソンはふいにこんなことをいった。

「俺に未来はないよ。少なくとも俺にはなにもない」

ぽつりと、放り投げるような口調だった。

毎週パーティに来ていたレイというイギリス系の男性と話したことも忘れがたい。

とても陽気なひとで、私に会うたびに「まだノンケなの？　いい加減デートしようよ」と冷やかす。たいてい取り留めない話題で談笑するのだが、そのときは海外旅行の話になった。「どの国が楽しかった」「次はどこへ行きたい」、そうした会話の流れで、南アから移住しようと思わないのかと尋ねてしまった。

白人に対する偏見があったのだと思う。肌の色が同じなのだからイギリスでもアメリカでもオーストラリアでも、引っ越しのような感覚で移民できるのではないか、と脳天気に考えていた。

レイは苦笑したが、目は悲しげだった。

「俺は南ア人なんだ。この国で暮らしていきたい」

そしてこう続けた。

「外国に行って南ア人だと明かすのは怖いし」

アパルトヘイト時代、南アから外国にいった白人が、白人というだけで差別主義者と白眼視される風潮があった。

だが、アパルトヘイトが終わったときレイは10歳だ。それにアパルトヘイトが終わってから四半世紀が経ってなお、そうした感情を抱く人がいることが衝撃的だった。

こうした白人の暮らしぶりとの因果関係は確かなことがいえない。だが、南アの白人男性の自殺率は平均の1・4倍。南アでもっとも自殺する傾向が強いグループだ。

アパルトヘイト時代には「黒人は殺され、白人は自殺する」という物言いがあった。当時の白人は高圧的な支配者として振る舞っていたというイメージがあるし、実際にそういう者もいた。が、アパルトヘイトはそれを望まない者にも黒人差別を強いた。黒人差別をしないことは罪だったのだ。結果として心を病み、自殺した者が相当数いたという。

現在の白人の自殺率が、社会構造のもたらす閉塞感に起因するのであれば、アパルトヘイトの痕跡はここでも人々を苛んでいるといえる。

白人農場を訪ねて

5代続く白人農家コーシー・スラバートの主張

言ってみればそれは、太平洋戦争で被害を受けた東アジアの人々の集会に乗り込んでいって、「日本は補償しない」と宣言するのに通じるものがある。

これまでの都市と同様に、黒人が多数派を占めたイースタンケープ州クイーンズタウンの公聴会。もちろん憲法改正に反対を表明する者はほかにもいたが、震えながらマイクの前に立つ白人も珍しくないなかで、コーシー・スラバートは毅然とこう言った。

「盗みを正当化するような憲法改正には賛成できない」

理由はふたつ。

民主主義国家である以上、個人の財産である農地を政府が勝手に取り上げることは許されない。

イースタンケープ州で農家を営むコーシー・スラバート。地域の農業団体の副代表を務めている

国の食料自給を担う白人農家を解体することは、食の基盤を破壊し、ひいては南ア経済の崩壊を招く。

そして、こんな話で演説を締めくくった。

「隣国のジンバブエでは無鉄砲に白人農家の土地を奪ったために国が破綻寸前までいった。大勢のジンバブエ人たちが不法移民として現在南アに逃げ込んでいる。しかし我々には逃げる場所はない」

傍聴席に戻った彼に話を聞いてみると、「自分の農場はこの地方の白人農家の典型的なものだと思う」と語り、私とリチャードの訪問を快諾してくれた。かねてから白人農家の生活を見たいと思っていた私たちにとって渡りに船といえる出会いだった。

コーシーの農場はクイーンズタウンから北に約200㎞。その日、私とリチャードは中間地点にあるドルドレヒトという街で一泊し、翌日の朝に迎えにきてもらうことになった。

息が白い。このあたりは南アでもっとも寒冷な地域のひとつで、7月から8月にかけては雪が積もることもあるらしい。

ガソリンスタンドの売店で買ったキドニーパイをかじりながらコーシーを待った。熱々のグレイビーソースと牛の内臓を包んだもので、少し臭みはあるがこってりとした味わいがクセになる。南アで定番の軽食だ。

東の空が白み始める頃、彼のランドクルーザーが姿を現した。

地方で農業を営む白人は総じてオランダにルーツをもつアフリカーナーだ。コーシーもそうだった。中背の、頑丈そうな肉体をした40代。もみあげと一体化したあご髭が目を引く、ちょうどヴィンセント・ヴァン・ゴッホの自画像を少し太らせたような風貌をしていた。

「私の農場をつくったのは5代前の先祖だ。1800年代の中頃だった。それ以来うちの一族はずっとこの土地で生きてきたんだ」

車窓からの風景を眺めながら、彼の口調はどこか誇らしげだ。

それも納得できる気がする。「世界の果て」という言葉が連想されるような、圧倒的な自然が広がっていた。そんななかで5世代に亘って生活を営んできた自負があれば、「誇り」のようなものが生まれもするだろう。

野焼きをする人々。ゴム製の熊手のような道具で火勢を慎重にコントロールしていく

丘のふもとの木立に囲まれるように建っていたコーシーの自宅はまさに「大草原の小さな家」だ。車で少し走ったところに老齢の両親の家と従業員の黒人のために誂えた家がある以外は、16㎞先まで民家はない。この日は野焼きを行うというので見に行くことになった。

野焼きというのは草原に火を放って計画的に枯れ草を減らすことだ。冬の乾燥した時期、これをしないと草原火災が起こりやすくなる。火災の恐ろしさを例えてコーシーは「炎の津波」といった。家畜が数百頭単位で死ぬこともあるという。

抜けるような青空の下で、牧草を焼いていく光景はいい風情だった。ガソリンバーナーで火をつける者を先頭に、後続が送風機やゴム製の熊手のようなもので必要以上に燃え広がらないよう火勢をコントロールしていく。全部で11名、全員が黒人だった。

「彼らはアルバイトで、この時期だけ来てもらっている。住み込みで働いている者は４人。昔はもっと大勢いたんだが、まぁ、時代だよ」

黙々と野焼きをする黒人たちを眺めながらコーシーがいった。白人農場に住み込みで働く黒人が減っているという話は聞いたことがあった。アパルトヘイトが終わり、それまでタダ同然で働かされていた住み込みの黒人労働者に最低賃金が定められたのだが、白人農家は彼らを解雇するという対抗策に出た。政府が改善を講じたためにむしろ路頭に迷う者が増えるという皮肉な結果になったわけだ。現在の最低賃金は1時間20ランド（1日約150ランド・約1200円）。従業員にいくら払っているかをコーシーに尋ねると「最低賃金はクリアしている」と、具体的な金額は明かさなかった。

ヨハネスブルグのタウンシップでは1日100ランドの日雇いで暮らす者も珍しくない。生活費が安い地方でその金額ならば悪くないようにも思えるが、やはり農場、彼らの仕事はハードだ。午後からは家畜の餌やりが始まった。とにかく広いので車で延々と移動することになる。

羊の給餌がひたすらダイナミックで面白い。牧草を一辺が1センチほどのキューブ状に固めた餌を、トラックで走りながら荷台から撒いていく。はじめは羊がどこにも見当たらないのだが、匂いを察するのか草むらから一頭、二頭と姿を現し、やがて100頭近くが全速力でトラックを追いかけてくる格好になる。荷台から見ていると、まるで殺到するモンスターから逃走する映画のキャラクターにでもなった気分だ。牛や羊などはそこらに生えている草を食べて育つものだと思っていたが、そうやって放置しておくと草を食い尽くして荒れ地にしてしまうらしい。

すべての仕事が終わった頃にはもう日暮れが間近だった。

この取材の目的のひとつは、白人農家と彼らが雇う黒人労働者がどんな関係なのか知ることだ。コーシーと従業員たちは友好な関係を築いているように見えた。コーシーは威張ったり冷淡だったりすることもなく、どっしりと構えて作業を指揮する。従業員たちはてきぱきとその指揮を実行していく。アフリカーンス語だったので内容はわからなかったが、時折冗談をいって笑い合うのも見た。良いボスと部下、という感じだった。

だが、強い違和感を憶えた出来事もあった。野焼きを眺めているときのこと、コーシーが「最近の黒人は仕事ができなくなっている」とぼやいた。はじめは「最近の若いやつはなっとらん」的なよくある愚痴かと思ったが、続けて彼はこういった。

「法律が変わって16歳以上じゃないと雇えなくなったからだ。子供の頃からやってないと身につくものも身につかない」

この発言を聞くまで私とリチャードは南アにいることを忘れていたのかもしれない。コーシーは親切で紳士的だったし、農場の雰囲気は悪くなかった。つい最近までアパルトヘイトが存在し、彼がその制度における「搾取側」の人間だったという認識は明らかに希薄になっていた。黒人は学校に行く必要がない、ともとれる発言に私とリチャードは唖然とした表情を浮かべてしまい、実際にリチャードは「それは児童労働じゃないのか？」と尋ねた。

「児童労働ではない。ハンズ・オン・トレーニングだ」とコーシー。

ハンズ・オン、つまり技術を手とり足取り教えてやること。幼年からそうやって白人のもとで鍛えられることによって黒人は〝規律〟を学ぶのだ、とコーシーはそういう言い方をした。

私はこのやり取りに「違和感を憶えた」と述べたが、その根っこはコーシーの発言の内容よりも、それを言ったときの態度にあった。

アパルトヘイト時代、南アの黒人差別は世界中の国から非難を浴びていて、私たちはそうした国からやってきた〝よそ者〟である。もしもコーシー自身が黒人差別を後ろめたいと感じていて、口を滑らしてしまったというような自覚があるなら、焦るなり、誤魔化すなり、取り繕うような態度をとるはずだ。が、彼はまったく平常な様子でそう言った。何か重大な認識のズレ、前提となるべきものが根本的に違ってしまっているのではないか、と思うようになったのはこの時からだ。

もうひとつ、コーシーに対して釈然としない思いを抱いたのは、彼の家政婦の住まいを見たときだ。

ミリアンという名の老齢の黒人女性だった。詳しい素性はわからない。彼女は英語を話さず、ほとんどコミュニケーションが図れなかったからだ。彼女の住まいは、羊毛を刈り取る小屋の一角に申し訳程度に据え付けられた一室だった。土間だし、壁はトタン製。悪臭はなかったが、外の寒さはダイレクトに伝わってきて、人が快適に暮らせる環境とは思えない。日が暮れてから様

家政婦のミリアンは羊の毛皮処理場の一画に設けられた土間で暮らしていた

子を見に行ってみると薪《まき》ストーブで暖をとっていた。

　やるせないのは彼女の住まいは母屋から20メートルも離れていないことだ。私とリチャードが宿泊したのは母屋の暖房が付いた清潔な個室である。部屋はあるのだ。

　突然押しかけた我々を厚くもてなしてくれたコーシーとご家族には感謝しているが、なぜミリアンだけそんな場所で暮らさなければならないのか理解ができない。コーシーは「家政婦はそうやって暮らすものだ」というが、説明になっていない。

　他の黒人従業員の住まいも見るべきだったし、労働条件について詳しく話を聞くべきだった。しかし、彼らもみんな英語を話さず、込み入った話ができなかったのが心残りだ。

殺害される白人農家が急増している？

仕事を終えて家に戻ると、コーシーは廊下に据え付けられた無線機でどこかに連絡をとった。短いアフリカーンス語で何かを告げる。事務的な定時連絡という感じだった。すぐに応答があり、それきり通信は終わった。

「近隣の農家とこうやって一日一回連絡を取り合っている。襲撃が増えているからな」

物騒なワードが突然出てきたので怪訝な顔をしてしまった。

コーシーがいうには、近年になって白人農家を狙った強盗が増えている。それもただの物取りではなく、体を切り刻んだり、熱湯をかけたりといった拷問をしてから一家を皆殺しにするケース、一切金目のものに手を付けておらず、明らかに殺害が目的だと思われるケースがあるという。

「白人に憎しみを抱く黒人の犯行だ。君たちに来てもらったのは、この事実を海外に報じてもらいたかったからだ」

驚きと同時に疑問も生じた。なぜ一足飛びに「海外」なのか。自分たちの身を守るために重要なのは海外よりも国内の世論だ。だが、コーシーはいう。

「南アのメディアはこの問題を黙殺しようとしている。メディアだけじゃない政府もだ。私たち白人農家は見殺しにされているんだ」

これも意外な話だった。政府は信用できない点が多々あるが、他のアフリカ諸国と比べて南アの報道の自由度はかなり高い。公正な報道を行う機関も多い。それが足並みを揃えてひとつの問題を放置することなどあるのだろうか。

　だが確かに、後日調べてみると白人農家を狙った殺人が増加しているという言説はあった。「アグリフォーラム」という白人団体が主張しているもので、それによると２０１５～２０１６年にかけて農園での殺人発生率は10万人中１５６人にのぼる。これは驚異的な数字だ。ヨハネスブルグの危険地帯よりよっぽど高い。同時期の全国平均が34・１人だから、農園では他の場所より４・５倍も殺人が起こりやすいことになる。

「殺されている白人農家を数えれば、南アで農業をすることは警察官として働くよりよっぽど危険であるとわかるはずだ。毎週のように同胞が殺された話を聞く。南アの白人農家は怯えきっている」とコーシー。

　自分が彼らの立場だったら、と考えたらぞっとする。コーシーの自宅から隣の民家まで16㎞。文字通りの陸の孤島だ。もしもそこに武装した集団が殺意をもってやってきたら、なすすべなく殺されてしまうだろう。

コーシーの自宅に設置された無線機

さらに、政府は農家から数少ない抵抗の手段までも奪おうとしている、とコーシーはいう。

それは銃だ。

きっかけは2018年7月に下された南ア憲法裁判所の判決だった。もともと南アでは、銃の免許証は期限切れの90日前までに更新を行い、もし更新されなかったら銃は処分されることになっていた。しかし、これが個人の財産権を侵害するとして論争になり、なし崩し的に期限切れの銃を所有することが黙認されてきた。だが、この2018年7月の判決によって、期限切れの銃の所有は法律違反であることが明白になり、回収されることになったのだ。

問題は、免許の更新を行っていなかった者が30万人近くもいたことだ。コーシーが所有するライフルも回収されてしまうという。2019年後半から、銃所有者の反発を受け、回収が免除されるケースが増えているとの報道もある。

折しも白人農家からの土地収用が国中で議論され、農家の殺人が増えているといわれる渦中である。コーシーの目からすれば〝追い打ち〟以外の何ものでもなかった。「国は白人を殺そうとしている」とまで彼はいった。

「私たちは法を守っている。税金も払っている。なぜ迫害のような目にあわなければならないのか。農家にとっての危険とは農作業中の事故とか、自然災害とか、そうしたものであるべきだ。決して殺人者の襲撃ではない」

と訴える彼の言葉には怒りが滲んでいた。

しかし、南アのメディアがこの問題を黙殺しているというコーシーの主張について私は素直に頷くことができない。

白人農家の殺人が増加しているというのも、メディアや国が白人を見捨てているというのも、白人の民族主義者による根拠のない陰謀論だという言説もまた、根強いのだ。

例えば、アグリフォーラムが主張する10万人中156人という異常なほど高い殺人件数。報道のファクトチェックを行っている南アのシンクタンク「アフリカ・チェック」は、この数字の信憑性を疑問視する。南ア警察の統計にはそもそも「農園における人種ごとの殺人」というカテゴリーがないため、数字を出すのが不可能だというのだ。

また、南アのメディアが農家の殺人を黙殺しているというのも正しくない。日々南アで発生する強盗や殺人事件のなかにはもちろん農園で起きるものもあるし、白人が殺されることもある。場所がどこだろうと人種が何であろうと、そうした深刻な事件は報道されている。ただ、コーシーやアグリフォーラムがいうような「黒人が憎しみから白人農家を狙って殺す事件が増えている」という言説に賛同していないだけだ。

しかし、である。

一抹の不安として、南アのジャーナリストが自分たちの偏見に気付いておらず、「白人が狙われている」という訴えから無意識に目をそらしたり、白人の被害が増えていることを否定するデータを過度に重視したりしているというのはありえなくもないと思った。

白人は黒人を搾取してきた、現在でも不当に白人は優遇されている、一方で黒人は変わらず辛酸《しんさん》を舐めている――そうした認識の積み重ねはどうしても「白人が被害者側になるはずがない」という先入観を生み、同時に「白人が被害にあっている」という声をあげづらい空気をつくる。そうした先入観を多くの記者がもっていれば、メディアが足並みを揃えて白人を黙殺する、という状況が生まれてもおかしくはない。

ともあれ、メディアの実態、さらにいえば真実がどうであっても、問題の核心はコーシーを含む多くの白人農家が実際に「自分たちは黙殺されている」と信じていることだ。これは恐ろしいことだと思う。どれだけ身の危険を感じていても誰も耳を貸してくれない。さらに彼らの視点からすれば国は銃を取り上げ、さらに土地まで奪おうとしている。「すべてが敵に回ったような気分だ」とコーシーはいった。

アパルトヘイト時代に白人が黒人にしていたことを考えれば、同情はしづらいとする向きもあるかもしれない。だが、コーシーの話を聞き進めていくと、そもそも彼や同じような境遇の南ア白人たちが歴史に対して抱く認識は、前提からして私たちとは異なっていることがわかってきた。

「差別意識」は自覚できない

たっぷりと具材の乗ったピザと、ミートパイ、この地方で採れたぶどうを使ったワインという夕食をご馳走になった後、私とリチャードはコーシーのインタビューに取り掛かった。

今回の取材の一番の目的は、国が白人農家から土地を取り上げる方向に舵を取るなか、当事者である彼らが何を思うのか知ることだ。公聴会でコーシーは民主的でないこと、経済的損失を引き起こすことを理由に反対したが、話を聞いていくと本懐は別にあった。要約すれば「土地を返還しても黒人の救済にならない」というものだ。彼はいう。

「土地があれば豊かになれると皆が信じているが、神話に過ぎない。それは今まで土地を返還された黒人がどうなったかを見ればわかる。そのほとんどが土地を活用できていないし、貧困から脱出できていない」

それは事実だった。

かつて政府は白人が持つ土地の30パーセントを黒人に分配すると謳い、これまでその3分の1が実際に黒人の手に渡っているが、２０１０年、グギレ・ンクウィンティ農村開発・土地改革大臣（当時）はそうした土地の90パーセントが「生産的ではない」という声明を出している。つまり土地が収入に結びついているケースが少ないということで、現在でも状況は大きく変わっていない。

理由はシンプルで、土地だけあってもメシが食えるわけではないということだ。農業を営むにしても農具や肥料、種子、販路の開拓が必要だし、なによりビジネスとして継続的に生計を立てるならノウハウが要る。コーシーは続ける。

「政府は、土地収用は補償のためだという。補償とは経済格差を是正することだ。ならば返還された土地をどう運用するかが重要になるが、その議論がすっぽり抜け落ちている。そんな状況では土地を与えても意味がない」

だが土地の返還は、祖先との結びつきを断絶された人々の尊厳を取り戻すためでもある。それでも無意味なのか。

「その認識が間違っている。私たちは正当な手段で土地を得たのだ」

コーシーがそう反論する。

いわく、白人農家の土地は大きく分けてふたつの手段で獲得された。ひとつはアパルトヘイト、もうひとつはそれ以前の時代の戦争や売買によるものだ。戦争というとこれも力づくで奪ったように聞こえるが、植民地主義の時代は国際的に認められていた。

つまり、少なくともコーシーの一族は後者の方法で土地を得ているため、「奪った」といわれるのはお門違いだといっているわけだ。

「私の一族は5代に亘《わた》ってここに暮らしてきた。祖先はみんなこの土地に眠っている。ヨーロッパとのつながりはとうに消えている。親戚などいないんだ。私は南アフリカ人として、国の一部として、生きてきた。国民の食料をつくっていることに誇りをもってきた。国は間違ったことをしようとしているが、それでも私はずっとここで生きていくだろう。私は誰の夢も妨害しない、だから私のことも妨害するな！」

個人としての主張なら納得できる部分もあった。だが、釈然としない気持ちもある。

個人は必ず集団に帰属する。そうである以上、集団としての罪、すなわちアパルトヘイトにおける「搾取側」だった白人としての罪と、コーシーも向き合う道義があるのではないか。もちろん、個人と集団を完全に同一視することはできない。土地を手に入れた経緯は個人によって異なるし、白人のなかにもアパルトヘイト政権を支持しなかった者はいた。当時の政治的意思決定に参加する立場になかったコーシーの世代にどれほどの責任を求めるべきか、その妥当性の問題もある。責任の配分は慎重に議論されなければならない。だが、それにしたってコーシーの主張はそうした集団としての罪に対する意識が完全に欠落しているように感じられたのだ。

無関係とは決していえまい。明らかに彼の生活は白人を上、黒人を下とする構造のうえに成り立っている。現在でも家政婦をあばら家に住まわせ、過去には学校に行くべき年頃の黒人に労働を強いていた。「私は誰の夢も妨害しない」とコーシーは言ったが、家政婦や労働者たちをそうした構造に押し込めることは妨害ではないのか。そしてそうした構造を是正することが現在の白人に求められている「過去への補償」なのではないのか。

それを指摘すると、コーシーは深くため息をついた。物分かりの悪い子供を諭すような口調で、こういった。

「黒人がそうやって暮らすのは黒人のためだ。アパルトヘイトは差別ではない。分離・発展の仕組みなんだ」

これまでたびたび違和感、釈然としない思いを抱いた理由がわかり、それらは消え去ったが、今度は重苦しい衝撃が去来した。そう考えているなら、アパルトヘイトに罪の意識など感じるはずがない。

補足すると、「アパルトヘイトは黒人のため」という主張はアパルトヘイト政権時代から存在した。当時の政府によれば、この政策の目的は各人種の伝統や特質を尊重することであり、人種によって文化や生活様式が違うのだから、人種によって異なる政策をとるのが当り前なのだという。

彼らが心からこのような絵空事を信じていたかといえばもちろんそんなことはなく、黒人に侮蔑的な感情をもった者が多数派だった。これは建前であり、国際的な非難をかわすためのプロパガンダだ。

しかし、そうした侮蔑とともにある種の〝使命感〟のような感情を抱く者が存在したのも事実である。アパルトヘイト政権の初代内務大臣を務めたエーベン・ドンヘスが代表例だ。

１９５０年代にアフリカ諸国を旅した米国人ジャーナリスト、ジョン・ガンサーはドンヘスに面会しており、その発言を『アフリカの内幕』という著書に記している。

「もし我々が彼ら（黒人）に酒を飲ませ放題に飲ませれば、彼らはみんな死んでしまうだろう」

ドンヘスにとって黒人は自制ができない〝未熟〟な人々だった。ガンサーはドンヘスの発言の奥底には、自身を黒人の後見人として捉え、黒人を「保護」しなければならないという感情があったと分析する。すなわち、アパルトヘイトによって黒人を隔離することは善行だったわけだ。

確かにキリスト教には、〝未開〟の人々に文明をもたらし、より〝良い〟方向に導くという思想がある。大航海時代に宣教師が世界中を巡り歩いたのもこの思想に基づいてのことだし、より近い時代では西洋諸国が植民地を広げる大義名分としても用いられた。アパルトヘイト政府の中核を担ったアフリカーナーの行動原理にはキリスト教が深く影響しているといわれ、黒人を「保護」するという発想に至るところまでは理解できる。

だが、保護という名目で人権侵害や経済的搾取を正当化するのは思想的倒錯にほかならない。家畜小屋の片隅で眠るほうが快適だと感じる人種、出口のない貧困のなかで生きるほうが幸せだと感じる人種などどこにいるというのか。

ともあれ、アパルトヘイトは実際にそうした倒錯した思想に基づいて進められ、半世紀も存続し、コーシーのように黒人の窮状に疑問すら抱かない人々を生み出した。

これはある意味で納得のできる話だ。人間は完全な悪になることはできない。純粋な悪意から他の人間を害し、それを継続して平気な顔でいることは不可能だ。その行為には何らかの大義名分が必ず存在している。虐殺を行った独裁者にも、コカインをばらまく麻薬王にもそれはあった。アパルトヘイトを推進した白人にはそれが「保護」だったのだ。

私が衝撃を受けたのは、アパルトヘイトが撤廃され、南アが民主主義国家になり、国際的にアパルトヘイトは「奴隷制に並ぶ人道的犯罪」であるという認知が確固たるものになった現在にあってコーシーがそうした考え方を維持していたことだ。

すると、コーシーの発言の意味合いも変わる。

彼は土地を黒人に返還しても経済格差は是正されないといった。私は単純に資金やノウハウが足りないから、農業などのビジネスを立ち上げることができないという意味だと思っていた。補助金を出したり、技術支援を行ったりすれば状況は改善されていくのだと。違うのだ。「黒人は生物として能力が低いから、土地を利用して生計を立てるというような高度なことはできない」といっているのだ。

コーシーはこうもいう。

「タウンシップに住んでいる黒人に農場を任せて、私の家族は出ていったとする。何が起きると思う？　5年も経てば農地は荒れ地になっているし、この家だって滅茶苦茶になっているだろう。床板をひっぺがして薪にしてしまうだろうからな」

「その考えは人種差別だと思わないのか」とリチャードが尋ねた。顔が紅潮していた。彼は静かに怒っていた。

対照的に、返答するコーシーは落ち着いていた。

「人種差別といえばそうなのだろう。だが、この国では人種差別という言葉は特別だ。白人から黒人に向けてのものしかそう呼ばれない。実際には黒人から白人に向けた人種差別もあるし、アフリカーナーとイギリス系白人の間にもそうした感情はある。私はこの地方の農家を代表する者として、正しいと思うことをいっているだけだ。それを人種差別という言葉で片付けることが正しいのかどうか、ぜひ考えてもらいたい」

これでインタビューは終わった。

部屋に引き上げると、どっと疲れを感じた。リチャードはずっと何かを考え込んでいた。声をかけると「差別意識は自覚できないから厄介なんだ」という。怒りのような、悔しさのような、そんな感情が滲んだ声だった。

「白人なら誰だって『他の人種より自分たちは優位だ』という意識をもっている。多かれ少なかれ自覚していようが無自覚だろうが。俺だってきっと例外じゃない。俺はそれが醜いと思うし、恐ろしい。コーシーを見ていたら、白人の醜さを突きつけられたような気がして動揺した」

何か言ってやりたかったが、かけるべき言葉が見つからなかった。白人ではない私には無理なのかもしれなかった。

ジョン・ガンサーの話には少しばかり続きがある。黒人に対して奇妙な〝使命感〟を抱いていた内務大臣ドンヘスの人物評だ。ガンサーはドンヘスの黒人観を批判しながらも「気持ちよく付き合える」「紳士である」と書いている。コーシーも同じだ。最初から最後まで紳士的だった。インタビューの翌朝、コーシーは100㎞近く離れた大きな街まで送ってくれたうえ、ポット入りの熱いコーヒーとビスケットをもたせてくれた。力強い握手をして、「近くに来たらまた訪ねてくれ」と彼はいった。

白人文明の袋小路

こうして見てきたように、一言に白人といってもさまざまな想いを抱いている。だが、こと南アにおいてはこうした多様性が白人の「生きづらさ」を示すものではないか、と指摘する者もいた。メール&ガーディアンの記者カールだ。

「もともと南ア人というのは国家に対して帰属意識が薄いと言われているの。歴史も複雑だし、いろんな民族がいるからね。それをまとめて『ひとつの集団です』といわれてもしっくりとこない人が多い。だからアイデンティティの拠り所といえば、黒人なら自分の民族やタウンシップだったりするのだけど、現在の白人はそれを探しあぐねているように見えるわ。アパルトヘイト時代は白人はひとつの階級としてその正当性が保証されていた。生まれながらにアイデンティティが明白だったの。それが瓦解して、全員が平等ということが社会の建前になったとき、ようやく白人は個人としてアイデンティティを模索し始めた。そのコーシーという人がアパルトヘイトの時代に引きこもっているのも一つの形。公聴会に出てきて黒人の味方をする白人も然り。本質的にはやっていることは同じ。自我を保つために、この社会で生き延びるために、死にものぐるいで自分の在り方を探しているのが現状だと私は考えている。それって、とてもつらそうだと思わない？」

南アの白人にとって恐怖の最大の源泉は、政治的にも、人口比の点からみても、この国では黒人が圧倒的多数派であることだとカールはいう。

先住民を搾取したり、迫害したりした国家は無数にあった。アメリカではネイティブ・アメリカンが、オーストラリアではアボリジニが徹底的に虐げられた。その不条理さはアパルトヘイトと比べても遜色ない。それでも現在のアメリカやオーストラリアの白人は、南アの白人ほど切迫した危機感を抱いていないのは、ネイティブ・アメリカンもアボリジニも、圧倒的な少数派になってしまったからだ。

そうした視点で考えると、現在の南ア白人の境遇は「白人文明の袋小路」といえるのではないか、と考えるようになった。大航海時代以降、世界中に進出し、数多くの国家や植民地を築いてきた白人文明。白人国家としての南アはそうした枝の末端であり、発育の異常から枯れ落ちる運命を待つばかりの部位といえるのではないかと。

第4章　暴発する憎悪

「違法鉱山」を求めて

リチャードの運転でハイウェイをひたすら南西に向かっていた。

目指すはノーザン・ケープ州のキンバリーという都市。南アで最初にダイヤモンドの鉱脈が発見された土地で、もっとも古い鉱山の歴史がある。おのずと鉱業がメインの産業なのだが、政府の許可を得ることなく違法に鉱物を採掘する「ザマザマ」と呼ばれる人々がいるという。

このザマザマ、キンバリーだけでなく南アのあちこちで社会問題になっていて、聞くところによると勝手に地下何百メートルもの坑道を掘ってしまうから地上の建物が沈下する危険があったり、闇市や売春宿を備えた〝地下都市〟のようなものを作ってしまい、犯罪の温床になっていたりするらしい。私たちは実際に違法採掘で生計を立てている男性に取材許可を取りつけており、彼の暮らしぶりを見せてもらうのが今回の目的だった。

ヨハネスブルグからキンバリーまでは5時間ほどの道のりだが、到着は大幅に遅れた。サバンナのど真ん中でタイヤがパンクしたためである。これにはとても往生した。

まず、道が細い。車2台がなんとかすれ違えるくらいの幅しかないのだ。見通しはいいし、めったに車は通らないが、それでもたまに往来する車は時速１４０㎞くらいで走っている。道路上に

サバンナの真ん中でタイヤがパンクし、途方に暮れる。交通量は数十分に一台といった状況で、このときばかりは深刻な絶望に見舞われた

車を停めると後続車に突っ込まれる恐れがあった。結果、路肩の土の地面の上でスペアタイヤの換装を行う必要がある。

さらに車体を持ち上げるためのジャッキが壊れていた。ねじ式になったボルトを回転させることでジャッキ本体が昇降する仕組みなのだが、ボルトが歪んでおり、一回転させるのに10秒くらいかかる。さらに土の上で作業を行っているため、回せば回すほどジャッキが地面に沈み込んでいく。

そしてこれが最大の問題なのだが、強盗の懸念があった。カージャックが横行している南アにおいて、こんな場所でちんたらタイヤの交換をするなど「強盗してください」といっているようなものだ。速やかに修理を済ませる必要があったが、ジャッキが壊れているためそれも叶わない。

それでもなんとか車体を持ち上げ、タイヤを取り外すことに成功したが、換えのタイヤを取り付けようとしたときに車体全体がド派手な音を立てて沈んだ。ジャッキがずれて倒れたのだ。

リチャードが顔をしかめている。手を挟んだのかと思い、慌てて駆け寄った。間一髪のところで手を引き抜いて事なきを得ていた。しかし、新たな問題が発生した。ジャッキが車の下敷きになってしまったのだ。

力の限り引っ張るがビクともしない。車を持ち上げようとも試みたが、ピクリとも動かない。普通乗用車の重量は1トン以上であり、2人ではもはやどうしようもなかった。

この段階になって、本格的な焦りがせり上がってきた。日はすでに傾き始めている。サバンナのど真ん中であるため、携帯電話の電波もない。呆然としてしまった。

「これ、本当にやばいんじゃないか」

とリチャードがぽつりといった。他者に改めて言語化されると、さらに焦りが加速した。ここで停まっているだけでもリスクなのだ。いまにも犯罪者の一団がやってきて身ぐるみを剥がされる気がした。

どちらからともなく金目のものはトランクに隠そうという話になり、あたふたと荷物を動かしているとエンジン音。道路の果てから向かってくる車が見えた。

一瞬のうちに様々な思考が駆け巡る。助けを求めていいものか。強盗だったらアウトだ。まさかたまたま声をかけたのが犯罪者の車などということがあるだろうか。しかし「まさかサバンナのど真ん中でパンクなど」と思っていた末路が今だ。

リチャードが意を決した表情で道路の真ん中に出て、手を振った。信じるしかなかった。

このとき、私が考えていたことを正直にいえば差別主義者の誹りを受けるはずだ。私は「白人であって欲しい」と考えていた。祈りに近かった。白人でないなら中国人かインド人でもいい、黒人の場合は家族連れか女性であってくれ。

果たして、停まった車のフロントガラス越しに見えたのは屈強そうな黒人男性の2人組だった。2人が車から降りて来る。体が大きい。彼らの表情は硬く、思考が読めない。横目に見るとリチャードは泣き笑いのような表情をしていた。私もまったく同じ表情をしていたはずだ。よく考えたら2人連れであるということは、私たちを殺してサバンナに放置した後、1人は自分の車を運転し、もう1人は私たちの車を運転して帰宅できるということではないか。嫌な汗が出てきた。

「どうした？」

片方の男がいった。

恐る恐る事情を説明する。彼らは無言で考え込み、私たちの車を眺め、そして、

「たいへんだったなあ！」

ニカっと笑って握手をしてきた。

いい人なのだろうか。この段階では「車を持ち上げるには人手が多いほうが良いわけだから、全員で仲良く車を修理した後、やっぱり私たちは殺されるのではないか」などと頭の片隅で考え

ていたのだから人間というのは浅ましい。

結局、彼らはめちゃくちゃにいい人だった。

全員で車のフロントを持ち上げ、ジャッキを回収、私とリチャードが悪戦苦闘した昇降作業をものすごい手際でこなし、たったの5分でタイヤを付け替えてくれた。

「この道はひどいから気をつけて運転しろ。次の街についたらすぐにスペアタイヤを買えよ」

そういって再び握手をしてくれる。その手はオイルでどろどろになっていた。力強く握り返す。お礼といって金銭を渡そうとすると「そのカネはスペアタイヤに使いな」といって去っていった。

慎重に車を走らせ、1時間ほどで次の街に到着した。

修理工場のおじさんによると、こうしてサバンナで立ち往生するトラブルは珍しくないらしい。

「南アの田舎を移動するときは、コンディションがいい道を選ばないと本当に死につながるから気をつけなさい」

聞けばほとんどのドライバーがカーナビをアテにしないという。道路のコンディションを考慮せずに最短ルートを示すため、危険な道を走らされることが往々にしてあるそうだ。スペアタイヤを詰め込み、意気揚々と出発した。

キンバリーのホテルに到着したのは夜8時を少し回った頃だった。

疲れ果てていたが、済ませておくべき仕事がまだあった。取材を取りつけていた違法採掘の男性に電話する。仕事場を見学するのは明日の予定だったが、この日のうちに面会し、取材の流れを打ち合わせておきたかったのだ。

　電話に出た男性にリチャードがいう。

「10分でもいいから会えないだろうか。そちらの自宅までいくから」

「いや、もう疲れて寝るところだ。というか本当に来るつもりか？　夜だぞ。本気か？　明日の早朝にしたほうがいい」

　無理強いはできないし、男性が言う通り、面会は明日の早朝にして早めに就寝することになった。

　しかし、不可解な点が3つあった。

　ひとつめ。電話はスピーカーフォンで行われ、私も男性の言葉を耳にしていたのだが、リチャードが訪問したい旨を伝えたとき、どこか「何をバカなことをいっているのだ」という驚きの色があった。木曜日の夜8時である。たしかに遅い時間だが、10分だけと断っている手前、そこまで常識はずれな注文だとは思えない。

　ふたつめ。男性の住所はダイヤモンドパーク（Diamond Park）というエリアだと聞いていたが、地図アプリで検索してもヒットしない。ホテルのオーナーに確認をするとキンバリーにはダイアマントパーク（Diamant Park）というエリアがあるので、それと取り違えたのではないかという。

　みっつめ。しかし、である。取材を申し込む前段階での聞き取りでは、男性は「歩いて違法鉱山に行く」といっていた。だがホテルのオーナーいわく、ダイアマントパークはなんの変哲もない住宅街で、歩いていける距離に採掘ができるような場所はないという。

釈然としなかったが、私たちの体力も限界に近かった。ベッドに倒れて目を閉じた瞬間、電池が切れたみたいに眠りに落ちた。

キンバリー、炎上

翌朝、8時前にホテルを出発した。

ダイアマントパークへは10分ほどのドライブ。なぜかやけにパトカーが走り回っていた。ヘリも飛んでいる。「殺人事件でもあったのだろうか」などと話しているうちに男性との待ち合わせ場所に到着した。

待ち合わせ場所といっても「大きな交差点があるから来ればわかる」としか聞かされておらず、おそらくここだろうというところで漠然と待つことになった。当然約束の時間になっても彼は来ない。南ア人が遅刻することには慣れきっていたので気にも留めなかったが、15分が過ぎ、30分経ったあたりでリチャードが痺れを切らした。

「住所は聞いているから家まで行こう」

だが、いくら走っても住所の場所が見つからない。歩いている住民に尋ねてもそんな住所は存在しないという。怪訝に思いながら電話をすると、彼は「勘違いをしていないか。グリーンポイントのダイヤモンドパークだ」といった。

グリーンポイント。聞き覚えがあった。

昨夜、ホテルのオーナーと地図を開きながら話をしていたときのこと。オーナーが地図を指差し「ここには絶対に行ってはだめだ」と言った場所がある。この街のタウンシップ、その地名こそグリーンポイントだった。

私たちは「絶対に行ってはだめ」な場所で待ち合わせをしていたわけだ。

すると、すべてが腑に落ちる。

ダイヤモンドパークとは、ダイヤが採れる違法鉱山をタウンシップの住民が勝手にそう呼んでいるだけであり、いわば俗称であって、それが地図アプリに登録されているはずはない。

ダイアマントパークは一般的な住宅街だが、そもそも違法鉱山で働く人がそうした場所に住むとは考えづらい。彼はタウンシップの住民であり、ならばその内部にある採掘場にも徒歩でいけるのだろう。

そして男性の驚き。ヨハネスブルグのタウンシップであるソウェトは比較的治安が良いものの、地方のタウンシップはひじょうに危険らしく、新聞社の同僚にも「絶対に足を踏み入れるな」と念を押されていた。昨夜は日が暮れた後に訪ねようとしていたわけだから、男性が驚きもするだろう。

ともかくもグリーンポイントを目指した。リチャードに尋ねる。

「タウンシップ、入っても大丈夫だと思うか」

「多分だめだろうな」

だが、取材のためである。ほかに選択肢はなかった。


街のはずれにある長い高架を渡りきるとタウンシップが広がっている。

だが、その高架の中途で、引き返すことになった。

何かの冗談かと思った。道路の真ん中に木材がバリケードのように積まれ、炎上していたのだ。

周囲には武装した警察官。緊迫した空気。何があったのか尋ねても、

「危険だから引き返せ。ストライキだ！」

とそれ以上は取り合ってくれない。

混乱した。ストライキという言葉と道路の封鎖が結びつかない。とにかくここを通ってタウンシップにいくことができないのは明白であり、一度街の中心まで行くことになった。しばし車を走らせると信じられない光景が飛び込んできた。

道路に車の姿がない。それぞれの交差点には木材が積み上げられて火がつけられている。路上には人の頭くらいの石やブロック、生ゴミなどがばら撒かれていて、道路としての役割を果たし

タウンシップに続く道路の中央で炎上する木々

ていない。大勢の人々が車道をどこかに向かって全速力で走っていく。全員黒人だ。

車から出るべきかどうか、判断に迷った。結局ドアを開けた。車の中にいても危険なのは変わらない。情報が必要だった。近くにいた女性4人組に声をかけると、信じられないものをみるような顔をされる。「アンタ、こんなとこにいちゃだめよ！」「連中は外人を狙ってる」「略奪が起きてる」「殺されるわよ」などと口々にまくし立てられる。首を掻き切るジェスチャーをして、とにかく逃げろと急き立てる。何が起きているのか尋ねても「ストライキ」としか返って来ない。

ストライキというのは労働者が一斉に休んだりするアレではないのか。リチャードに尋ねても「俺が知ってるストライキはそれだ」。

混沌だった。

街の中心部では状況を把握できない多くの市民がさまよう

猛スピードでパトカーが走り抜けていく。ヘリが低空で飛んで旋回を繰り返している。全力疾走していく人々の目的も目的地もわからない。

結局、最初に話した女性たちについていくことにした。どこにいくか尋ねると略奪が起きている現場を見にいくという。しばらく歩くと人だかりができている交差点があった。なぜそこに人々が集まっていたかははっきりしない。大きなスーパーがあったので、そこで略奪が起きると睨んで集まったのだろうか。幸い、スーパーの前には複数人のガードマンが集まっていて何事もないようだった。

ガードマンのリーダーらしい白人男性がおり、話を聞くと少しずつ事態が見えてきた。

グリーンポイントの住民が「ストライキ」を起こした。夜が明けないうちに街の主要道路に

荒廃した市内。ガラス片をはじめ、ブロックやゴミなどが散乱する

石や木材を運び、火をつけ、封鎖した。商店を略奪したり、強盗を働いたりした。グリーンポイントの警察署は焼き討ちされた。早朝から警察が出動し、略奪者たちはタウンシップに逃げ帰った。一部では銃撃戦もあったらしい。私たちのホテルはそもそも街はずれにあり、幸か不幸かこうした動乱が起きている場所を綺麗に避けてタウンシップに続く高架まで移動していたようだ。

動機は電気料金の値上げだという。ただでさえ生活が苦しいところに負担が重なり、不満が爆発したらしい。

「おそらく南アではストライキという単語の使い方が若干違うのだろう」

とリチャード。彼はこの状況を暴動（ライオット）と呼んだ。私もそれがふさわしいと思う。いくつかの商店や民家の窓ガラスは粉々になっている。街には焦げ臭い匂いが満ちていた。

それにしても信じられない話だ。私たちが到着したその夜のうちに暴動が勃発して、しかも略奪者たちの総本山で取材対象者と待ち合わせをしていたのだ。何をするべきかリチャードと1分だけ話し合う。できる限りカメラを回すことにした。絶対に2人ひと組で動く。危険を感じたらすぐに逃げる。それだけ決めた。

ビクビクしながら荒廃した街をカメラに収めていったが、結局、街の中心部で危険な目に遭うことはなかった。略奪者たちはもう去った後で、路上の人々はこのあたりに住んでいる人か野次馬だった。皆、口々にタウンシップの住民への恨みを語る。

「電気代を値上げしたのは行政だろう。なぜ我々の家や商店を襲う？　筋違いだ」

「街をめちゃくちゃにしやがって。あいつら全員死ねばいいんだ」

彼らも興奮していて口角泡を飛ばして訴えるが、具体的な情況を語る者がなかなか見つからない。被害の全貌がどれほどのものか推《お》し量《はか》る手がかりはなかった。

電話が鳴ったのはそんなとき、例の取材対象者からだった。

「来ないのか。いまから仕事に出かけるけど」

暴動なんてなかったかのような口調。

逡巡した。タウンシップのなかは意外と平穏なのだろうか。南米やアフリカのほかの国で取材してきた経験上、危険と言われるエリアでもそこの住人と歩けば安全であることが多かった。彼と一緒に行動すれば、暴動直後のタウンシップの内部を見られるのではないか、そんな考えがよぎった。

高架を使えば街の中心から10分もせずにグリーンポイントの入り口に到着するが、現在は炎上した木材が道を塞いでいて通行不能。下道を使い、地図アプリを頼りに30分近くかけてその付近までやってきた。

地図アプリが示す残りの道は一本道。石や焼け焦げた木々、酒瓶、レンガ、土管などが散乱した道は５００メートルくらい先で右方向に折れ曲がって先は見通せない。朝方は快晴だった空はいつの間にか低い雲に覆われて陰鬱とした空気が辺りに満ちていた。まるで魔窟の入り口に立った気分だが「実際、魔窟みたいなものだよな」とリチャードと笑う。乾いた笑い。

時速10キロくらいで障害物を避けながらゆっくりと車を走らせる。ところどころに何をするでもなく座り込む人々。タウンシップの住民だった。視線が刺さる。車の窓ガラス越しでもこんなにも視線を感じることに驚く。路上の石はかなり鋭利だ。ガラス片も散乱している。パンクしたら逃げられるのか、そう思うとふいに街なかで話した女性の発言が蘇る。

「車の中にいてもだめ。連中はタイヤを焼く。それから全部奪われる」

気温は低いのに汗がとめどない。

７００メートルは進んだか、バラック小屋が並び始める。道路の真ん中にワゴン車くらいの大きさのゴミ集積用コンテナが逆さに転がされていた。

「ジーザス」

リチャードがつぶやいた。まったく同感だ。どうやってあんなに巨大なものを運び、横転させたのか。取材対象者と約束した場所まであと数百メートル。そのあたりと思われる場所が視界に入り、彼が「来ればわかる」といったのが腑に落ちた。ランドマークと呼んでも差し支えない、かなり大きな交差点、だが喫緊の問題があり、というのは無数の住民が交差点の中心で人だかりをつくっていたことだ。

リチャードが車を停めた。ブレーキを踏んだというより、アクセルを踏む意思が消えたというような停まり方。私がドライバーでも停めていたはずだ。人垣の隙間から炎が見えた。黒煙が柱のように立ち上っている。人々はわからない言葉で雄叫びをあげていて、車内にまでそれは届いた。これ以上は進めない。彼に電話をし、周辺の特徴を伝えて迎えにくるよう懇願した。彼は近くまで来ているといった。そう時間はかからないはずだった。

それからは人生でもあまり経験がないような居心地の悪い時間がやってきた。このあたりに車を停める者など普段からいないのだろう、住民が頻繁に覗き込んでくる。

このまま車内に留まるより、安全そうな住民に声をかけて一緒にいた方がいいという結論になった。矢先、水を運ぶ若い女性が近くを横切る。窓を開け、思い切って声をかけた。リチャードはアクセルに足を置いたままだ。記者だと明かし、電気料金の値上げは問題だと感じている、住民の不満を全国に届けたい、と一気に喋った。嘘ではないがすべてが本当でもない、よく回る口だなと自分でも呆れる。

女性は驚愕の表情を浮かべた。

「こんなところにいちゃだめよ」

危険であるのはわかりきっているが、少なくともこの人は安全だと思えた。車から降り、話をしているとすぐに人が集まりはじめる。女性と同じくらいの年頃の男たちだった。危険な雰囲気はなく、女性と気安い感じで言葉を交わしている。聞けばこのタウンシップでも住民はみんな顔見知りだという。男たちは「確かに電気料金の値上げはムカつくけどストライキはやりすぎだよ」と声を潜めていう。口々に自分たちの境遇や自治体への不満、警察の行き過ぎた取り締まりへの怒りを語った。この暴動に対して警察が出動した際、彼らの近所の小さな子どもが銃で撃たれて死んだのだという。凄まじい話が展開されており、カメラは回し続けていたが、正直上の空だった。はやく取材対象者に来てほしかった。

だが、次にやってきたのは招かれざる連中だった。40代くらいの男が5人。そのうちの1人が近づいて「何をしている」と尋ねてきた。異常に酒臭い。ニヤニヤとした笑顔。距離の詰め方が嫌な感じだった。遠巻きに男の連れの1人が携帯を取り出してどこかに電話するのが見えた。

「ヤバい、車に乗ろう」

とリチャードに耳打ちした。女性たちはまだ話したいことがある様子だったが、謝罪し、後部座席に撮影機材を放り込んで車を出した。リチャードがいう。

「あのなかの1人、銃をもっていた」

なんてところに来てしまったのだという後悔、それと純粋な不安とで泣きが入りそうだった。

そんなとき、リチャードが急ブレーキを踏み、言った。

「いた！」

路肩を杖をつきながら歩く男性。取材を約束していた違法鉱夫だった。

彼の名はイキュマルといって、リチャードがノーザン・ケープ州で開かれた公聴会で知り合った人物だ。

違法採掘はさまざまな危険が伴うもので、作業のガイドラインなど存在しないから事故が多いし、そもそも違法であるから当局から迫害に近い扱いをされることもある。キンバリーには正規の鉱山会社があるのだが、彼は数年前、採掘作業中にそうした会社の警備員に銃で撃たれ、それ以来足が不自由なのだという。違法は違法だ。しかし、彼に言わせれば過剰防衛であり、補償を求めるためにカメラの前に立ちたいといっていた。

車に乗ってもらい、彼の家に向かった。

イキュマルと合流できたおかげでだいぶ落ち着きを取り戻した。街の様子を観察する余裕も出てきた。略奪者と思われる人々がたむろしていたり、火が焚かれていたりするのは表通りだけで、

タウンシップ内部は比較的落ち着いた雰囲気

タウンシップの奥に入ってしまえばそこには平穏が広がっていた。走り回る子供、道端で雑談する人々、煮炊きをする主婦。日常がそこにあった。

「暴動に参加したのはほんの一部の奴らだよ」とイキュマル。イキュマル自身も「暴動には興味ない」そうだ。

「街で暴れたって生活は変わらない」

その言葉には、暴動という行為の是非は問わず、メリットがないからそもそも関わらないというニュアンスが滲んでいた。

グリーンポイントの人々が貧しいのは町並みを見れば明らかだった。ソウェトにもバラック小屋が立ち並ぶ区画は存在するが、それよりも数段貧相な住宅が並ぶ。イキュマルの家も例外ではなく、トタンで申し訳程度の壁と屋根をつくったという感じで、玄関にはドアもなかった。

なぜ違法に採掘をしているのか、彼に尋ねた。

「鉱山会社に雇われて採掘をしても給料はたかが知れている。いくら大きなダイヤを掘り当てても貰える給料は一定だ。しかし、自分で掘る分には一攫千金の夢がある」

彼が撃たれたのは4年前。ある鉱山会社の敷地に忍び込み、採掘をしているところを警備員に発見されてのこと。問答無用だったという。傷を見せてもらうと左足の太ももに深く裂けたような細長い古傷があった。膝から先を曲げることができないという。

「もうまともに歩くことはできない。だから別の仕事につくこともできない。俺はずっとこの生活を続けるしかないんだ」

採掘の現場にも行った。

タウンシップのはずれの木立に分け入っていくと、すぐに灌木《かんぼく》と枯れ草が入り混じったサバンナに出る。そこから徒歩で20分。足が不自由なイキュマルには難儀な道のりに思えたが、毎日のように行き来しているためか存外スムーズに歩を進めていく。

果たして彼の職場は、鉱山というよりは化石の発掘場のような雰囲気だった。広さにして学校の教室4つ分くらい。まばらな木をさらに伐採してスペースをつくり、草地が広く掘り返されている。深さは数十センチというところ。3人の男がすでに採掘作業を行っていた。鉱山というと地下深くまで延々とトンネルを掘ったものを想像するが、そうした規模で採掘を行う人々もいるにはいるものの、だいたいの違法採掘の現場はこうした形なのだという。

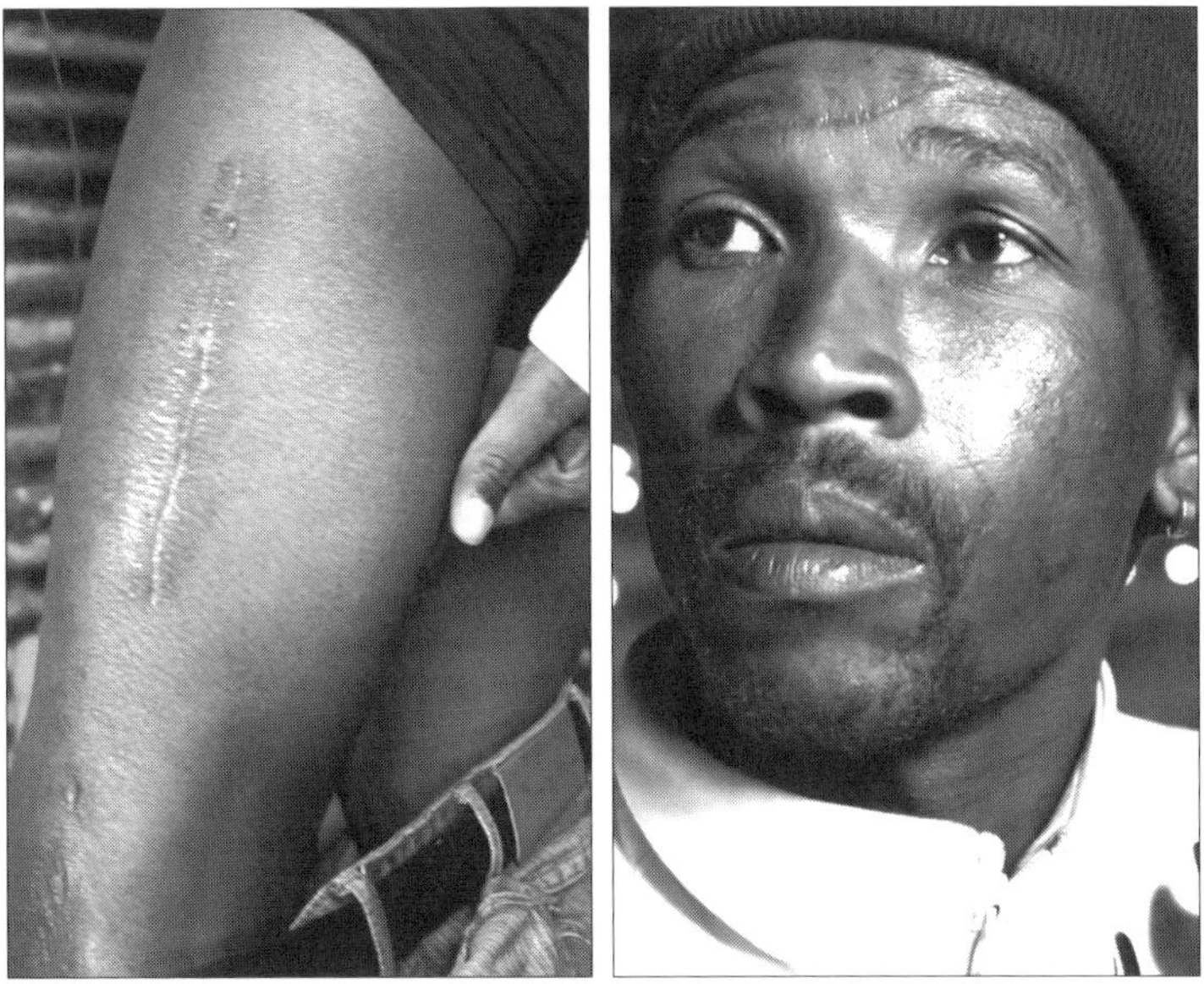

違法鉱夫のイキュマル。彼の左腿には深く裂けたような古傷が残っていた

作業はシンプルだ。土を掘り返し、網に載せてふるう。それを繰り返すと最終的に細かい砂だけになるので、そのなかから微小なダイヤの原石を探し出す。首尾よく見つかれば買取業者に持ち込んで現金を得る。

だが、どれほどの収入になるのか、イキュマルも他の鉱夫もはっきりと語らなかった。「ダイヤは滅多に見つからないから生活は苦しい。しかし一攫千金の夢がある」。採掘量や収入について何度か尋ねたが、そのたびに返ってくるのはこうした発言。買取業者の詳細についても伏せられた。

一攫千金といえば聞こえはいいが、彼らの生活はどう見ても苦しそうだ。この翌日も彼らの採掘を見学したが、最後までダイヤを見つけた者はいなかった。そこで生じる疑問は、鉱山会社に就職しない理由が本当に「一攫千金の目が消えてしまうから」なのだろうか、というもの。かつて不法侵入し、足が不自由なイキュマルが職を得るのは難しいかもしれないが、この採掘場には入れ替わり立ち替わり10人前後が出入りしていた。みな体力がありそうだ。希望すればもっと良い条件の仕事はあるように思える。それとも、出自や経歴などの問題で正規の仕事に就けない事情があるのか。

結局、その答えは得られず、消化不良のまま違法鉱山の取材は終わった。

しかしいくつか収穫はあった。

ひとつはこのタウンシップの治安について具体的な証言を得られたこと。

イキュマルのインタビューの途中、休憩を挟んで庭をうろついていると、隣の家の生垣の向こうから若い男性2人が手をふってきた。

「イキュマルの友達なのか？」

と人懐っこい調子で尋ねてくる。肯定し、軽い世間話をしたのだが、会話の終わりにこういった。

「ぜったい家の敷地から出ちゃダメだよ。本当に殺す人がいるから。携帯を盗るために殺したりする。話が通じると思わないで」

息が苦しくなった。

けれども、その後イキュマルとタウンシップのなかを歩き回ったのだが、彼と一緒にいる分には危険な雰囲気を感じなかったのは興味深い。住民が「そいつらはなんだ？」と詰め寄ってくる

イキュマルの仕事場。掘り出した土を大きな網でふるいにかけ、ダイヤモンドを探す

ことはたびたびあったが、イキュマルが「友達だ」というと、次には握手となる。やはりコミュニティの関係者との結びつきが安否を大きく左右するようだ。

また、イキュマルは「ソツィ」という少年ギャング団の存在にも触れた。

「ヤバい奴らだ。暴動で派手に暴れたのも主にソツィだ。12歳から18歳くらいのガキども。殺人や強姦の経験をトロフィーみたいに思っていて、俺でも話が通じない。男でも犯すから気をつけろ」

なぜ同性まで？　同性愛的な嗜好があるのか。推論に過ぎないが、リチャードの意見はある程度的を射ていると思う。

「力の誇示のためじゃないか。連中がバイじゃないって前提だけど、女を強姦するより、男を強姦する方が精神的にも肉体的にもハードルが高い。『そうした行為を難なくやってしまうオレ』っていうのを勲章《くんしょう》みたいに思っているのではないか」

いずれにしても絶対に関わりたくない連中だ。

もうひとつの収穫は、焼き討ちにあったと噂されていた警察署の場所を教えてもらえたことだ。そう遠くなかった。日暮れまであと1時間というところ。毒を喰らわば皿までだった。


いわれなければそれが警察署だったなどと思いもしなかっただろう。コンビニ2棟分くらいの大きさの、トタン製の建物は完全に廃墟になっていた。屋根は傾き、内装は燃え尽きて床の木組みが露出している。警察関係者の姿はなく、まだ焦げ臭かった。

近所の人々に話を聞いたが、焼き討ちの一部始終を見た者はみつからなかった。ある男性は朝8時頃に目覚めたらもう廃墟だった、と語った。

かなりの騒乱だったのは想像に難くない。警察署正面の鉄製のゲートは、乗用車かなにかが衝突したように大きくひしゃげている。地面にはショットガンのものらしき薬莢が落ちていた。別の男性はこう証言する。

「襲撃のとき、警察はラバーバレットで応戦したらしい。そのときに8歳の子供が流れ弾で死んだそうだ」

昼間に聞いた話と同じ子供なのだろうか。ラバーバレットというのは暴徒鎮圧用のゴム製の弾

襲撃された警察署。周囲にはまだ焦げ臭さが漂っていた

丸だ。直撃すればしばらく身動きができないくらいに痛むが、殺傷力はないといわれている。当たりどころが悪ければ、もしくは身体が未熟な子供なら死ぬこともあるのか。

どれほどの怒りと憎悪が積み重なれば、人はこんな破壊に手を染めることができるのか。焼け落ちた警察署を前にしてリチャードと呆然としてしまった。呆然としたのがこの日何度目かわからない。

けれど、ゆっくりとはしていられなかった。また人が集まり始めている。危険な人間の特徴がなんとなくわかり始めていた。普通の人ならば、タウンシップに東洋人と白人がいる時点で警戒心を抱くか、驚いたような表情を見せる。奴らにはそれがない。笑顔を浮かべていることが多いが、どこか作りもののような不自然さがある。肩を組もうとするなど、距離の詰め方が性急だ。そして、いま集まってきているのはまさしくそうした連中だった。

「何をしてるんだ。俺が案内してやるよ」

4人組の男たちが話しかけてきた。絶対に身ぐるみを剥がす気だろう。「もう行くところだから」といって車に乗って逃げ去った。

「こんな居心地の悪い気分は初めてだ。猛獣の檻の中を歩いてるみたいだよ」とリチャードがいう。細く長い溜息。

グリーンポイントの入り口までたどり着き、振り返ると、どんよりした紫色の夕焼けに無数のバラックが浮かび上がっていた。地面のアスファルトには焼け焦げがこびりついている。そこをゆっくり歩くヤギの群と、かけてじゃれ合う子供の姿。世界の終わりみたいだった。

略奪されたバングラデシュ人

翌日、メール&ガーディアン編集部から受けた指示は「暴動をできる限り取材して記事を送れ」というものだった。キンバリーの暴動はすでに全国ニュースになっていて、多くの記者が詰めかけているなか、メール&ガーディアンの記者でキンバリー周辺にいたのは私たちだけだったのだ。

早朝から街中を走り回っていたが、取材の指針が立っていなかった。情報が錯綜《さくそう》していて、犠牲者や逮捕者の全容すら把握できない。けれど、地元新聞の報道をまとめると、やはり暴動のきっかけが電気料金にまつわる不満なのは確かなようだ。

２０１８年6月、キンバリーを含むソル・プラーチェ地方自治体の長であるマンガリソ・マティカが電気料金の改定を宣言し、すべての世帯に一律２６０ランド（約２０００円）の支払いを求めた。これは月々に支払う通常の電気料金とは別のもので、さらにこの２６０ランドがなぜ必要か説明が不十分だったことが住民の怒りを煽った。

7月12日、すなわち私たちがキンバリーに到着した日の昼に、住民による抗議デモが予定されていたのだが、マティカ陣営はデモが中止になったという嘘のチラシを街中に撒いた。これが人々の怒りに油を注いだ。デモは予定通り行われたものの、一部の住民が暴徒化。私たちが見た炎上するバリケードや警察署の焼き討ちは、その後に発生したものらしい。

この話を知ったとき、「たった２６０ランドでこんな暴動が起きるのか」と愕然とした。確かにタウンシップに暮らす人のなかには1日の収入が１００ランド（約８００円）に満たない人は大勢いるが、それにしたって暴れ過ぎではないか。

しかし、ここまで騒乱が拡大した背景には、以前から囁かれていたマティカの汚職疑惑が大きく関係しているようだ。誰に話を聞いてもマティカを蛇蝎《だかつ》のように嫌っていた。キンバリーでは道路や水道といったインフラの不備が以前から問題になっていたのだが、マティカは公金を懐にいれ、そうした不備を放置しているともっぱらの噂だった。結局、住民の怒りは爆発する寸前だったのだろう、そこに今回の260ランドの話がダメ押しとなり、街中をひっくり返すような暴動につながったのだ。

どこから手を付けるべきか。フェイスブックやツイッターなどのSNS上には、犠牲者と称される血まみれの子供や、窓ガラスが全壊した商店、火の手を上げるオフィスビルなどの画像が飛び交っているが、デマであるという指摘も多かった。ともかく住民の肉声を集める必要があった。

交差点で燃えていた木材は道路脇に片付けられ、車が走れるようになっていたが、いまだ街のなかはピリピリとした雰囲気が漂っている。みな情報を求めているのか、往来で立ち話をする集団が数多くあったので片っ端から声をかけていった。

すると「知人のバングラデシュ人の雑貨店が略奪された。案内しようか」という黒人の若者に行き当たった。

到着した商店はキンバリーの北西、ゲイルシェウエという街区にあった。聞けばここはキンバリーのもうひとつのタウンシップだという。

トタンでできた10畳間くらいの大きさの小屋。道に面した店先は鉄格子で覆われ、その一部に商品と金銭を受け渡すための穴が空いていた。治安の悪いエリアの店はだいたいこのようなつくりになっている。案内してくれた若者が来意を告げると、裏口を通って黒人女性が現れた。

明らかに憤然としていた。若者が事情を伝えるとなまりの強い英語で「あのガキども」「殺す」

略奪者が押し寄せた際に店番をしていた黒人女性ジェニファー

などというのだが、興奮しすぎていてよく聞き取れない。
　女性の名はジェニファー・ムクォマといった。バングラデシュ人のオーナーの下でこの商店の販売員をしているという。暴動のとき、略奪者たちは店番をする彼女の目の前で一切合財を奪い去っていったと語った。怒りのあまり、頬がひくひくと痙攣していた。
　店の中を案内してもらうと言葉を失った。棚はすべて空。空き瓶や菓子の空き箱などが床に散乱しており、そのなかにひとつ、オレンジが踏み潰されて腐りかけていた。ゴミ捨て場のような異臭が鼻につく。
　昨日の午前中、ムクォマが店番をしていると100人からの群衆が突如として店に押しかけたという。なかには山刀で武装している者もおり、彼女にそれを突きつけて「抵抗したら殺す」

棚の商品はすべて持ち去られ、徹底的に荒廃した店内

といった。

「普段この店で買物をしている若いやつもいた。みんな笑いながらモノを奪っていったんだ。私はこの店の給料で家族を養ってる。これからどうやって食べていけばいいんだ」

怒りの表情をそのままに彼女の頬を涙が伝った。

隣に住んでいる人が略奪の一部始終を動画に撮っていて、それも見せてもらった。不謹慎だが、その様子を形容するのにしっくりくる表現は、映画『28日後』のような〝走るゾンビもの〟だ。トタンの壁にこじ開けた、人ひとりがやっと通れるような穴に、無数の群衆が全速力で殺到して店のなかに入っていく。裏口や別に開けた穴から、抱えられるだけ商品をもった者が喜々とした表情で走り去っていく。我先にと、他の者を押しのけながら純粋に略奪に耽っている人間

略奪当時の様子（住民提供）

の姿は醜かった。

　もっともショッキングだったのは、小学生低学年くらいの男の子も略奪に参加していたことだ。その腕には数本のビール瓶が抱えられていて、満面の笑顔を浮かべていた。どういう意味なのだろう、親に褒めてもらえるとでも思っているのか。だがきっと親は褒めるのであって、その光景から連想したのはただ一言、狂気だった。

　ほどなくしてオーナーのバングラデシュ人の男性がやってきた。名前はイライアス・アリ。彼の兄弟の店も略奪されたというので一緒に向かうことになった。

　兄弟の店もおなじくゲイルシェウエにあった。荒れようはこちらの方が凄まじい。

　棚が空になっていて、足の踏み場もないほどゴミが散乱しているのは同様だが、天井に大きていた。破壊を目的としていな穴があき、3つの冷蔵庫がすべて横倒しになってぼこぼこになっていたとしか思えない有様だった。

アリは語る。

「損害は30万ランド（約240万円）ほどだ。私たちは故郷の親戚から借金をしてここに来ている。保険にも入っていない。もうどうすればいいかわからない」

キンバリーで食品や雑貨を商う店の多くはバングラデシュ人やエチオピア人などの外国人が営んでいるらしく、この略奪でとくに標的になった。ヨハネスブルグの中国系移民と同じ構図だ。

「決して暴利を得ていたわけではない。地元の人々に貢献してきた自負もある。なぜ行政が決めた電気料金に反対するストライキで店を襲うのか、理解できない」

これも中国系移民を取材した経験から納得できる。南アで小売店を営む外国人経営者が地域に雇用を生んでいるのは事実。最初の店で話を聞いたムクォマがその証だ。それに、彼らの独自ルートからもたらされる日用品は安く、品質も悪くないため、とくに貧しい人々にとってはなくてはならないもののはずなのだ。

「彼ら全員が外国人を憎んでいるとは思わない。しかし、集団になったとき、真っ先に彼らの矛先が向くのは外国人だ」

彼ら、とは誰を指すのか。尋ねるとわずかに逡巡し、「貧しい黒人だ」とアリはいった。

あまりにやるせない話だ。中国人、バングラデシュ人、国籍は関係ない。社会的な発言力が乏

アリの商店を清掃していた近隣住民たち

しい外国人に対して、黒人の貧困層による暴力が増えているのは統計的に明らかだった。アパルトヘイトが撤廃されて四半世紀、いまだ社会に蔓延る格差に対する黒人の憎しみは、自分たちよりさらに弱い者へと向けられている。それが何を解決するというのか。新たな憎しみを産むだけだ。

それでもひとつだけ、救われるような出来事があった。アリを送るため最初の店に戻ったときのこと。店内に足を踏み入れて驚いた。散乱していたゴミが片付けられ、復旧されつつあったのだ。

黒人の若者たちが掃除を続けていた。彼らは近所の住人だった。従業員ではなく、厚意から自発的に始めたという。

彼らは口々にいった。「アリは地元想いだ。助けたい」「こんなのは間違っている」「略奪した奴らは許せない」。

だが、別れ際に見たアリの目は、いまだ私の心にしこりとして残っている。そこにあったのは略奪に対する悲しみや怒りでも、復旧を手伝ってくれた若者たちへの感謝でもなく、空虚な諦めのような色だった。

「みんながみんな間違っている」

街の機能は徐々に回復しつつあった。

暴動が発生した7月13日の日中、ほぼすべての商店がシャッターを閉じ、街の経済活動は完全にストップしていた。幼い子どもをもつ親はとくに大変だったようで、街の中心部で聞き取りをしていた際、子供に食べさせる物がない、といって営業している食料店を探し回る主婦が大勢いた。

その夜にはいくつかのガソリンスタンドやレストランは営業を再開していたが、人々が一挙に押し寄せたため混乱は続いた。私たちもガソリンスタンドの売店で食料を求めたが、コンビニほどの広さの店内は通勤ラッシュの東西線のようになっており、買い物を済ませるのに1時間近くもかかった。

一夜明けた7月14日になると、道路が復旧し、個人商店の多くも通常営業に戻りはじめる。が、やはり余波はところどころに見られた。例えば、ゲイルシェウエの近くにあるフィッシュ&チップスの店に行ったときのこと。長い行列に耐えてようやく注文をすると、仕入れができなかったのでチップス（フライドポテト）しか出せないという。魚のないフィッシュ&チップスなど牛肉のない牛丼のようなものではないか。そもそも私たちの前に並んでいた人々はなにやら料理を受け取って食事をしている。けれど、たしかによく見たら彼らの皿の上にはイモしか載っておらず、修行に耐える僧のような表情で黙々と口に運んでいた。しかたなくその一軒隣の、壁一面のガラスに巨大な穴が開いたケンタッキーフライドチキンで40分ほどの行列待ちの末、チキンをパンで挟んだものを入手した。チキンは冷めきっており、ひどくまずかった。

結局、街が落ち着いた雰囲気を取り戻したのは14日の夕方頃。なによりも助かったのは大型スーパーの営業が再開したことだ。「俺たちはビールを飲むべきだ」というリチャードの提案はもっともであり、酒と食べ物を満載にしたカゴをレジにもっていたところ、レジ打ちの女性に「明日も暴動が起こるらしいから気をつけてね」といわれた。

疑問。なぜわかるのか。後ろに並んでいた男性も「いやになるよな」と既知のような調子でぼやく。取材の合間に報道やSNSの投稿を常にチェックしていたが、そうした情報は見当たらなかった。

「What's App で情報が回ってくるじゃない。知らないの?」と女性。

What's App は主に欧米でポピュラーなLINEと似た機能のスマホアプリだ。個人同士のメッ

暴動から一夜、多くの商店は生活用品を求める市民でごった返した。写真はケンタッキーフライドチキン

セージのやりとりのほかに、グループをつくることができ、そのなかで情報を大勢に向けて発信できる。女性のスマホを見せてもらうとグループチャットに暴動が起きる時間や場所、これまでキンバリー各所で破壊された施設の写真などが投稿されていた。地域のコミュニティごとにこうしたグループが複数発達していて、街で起こることはだいたい把握できるという。

これは盲点だった。

女性によると、明日7月15日は「起こるかも」くらいの噂であり、明後日7月16日は裁判所の前でかなり大規模な動きがあるらしい。

7月15日、この日は新たな暴動に注意を払いつつ、初日に話を聞いた人々の再取材を行った。

情けない話だが、混乱のなかで話を聞いた大半の人から名前と連絡先を聞き忘れていたのだ。日本では「近所に住む男性いわく」や「ある商店の店主は語る」といった書き方が慣習として許容されているが、南アを含めた欧米メディアでは発言を引用する際は名前を明記し、連絡先も控えておくのが原則になっていた。非常事態のさなかだったとはいえ、いやむしろ非常事態だったからこそ、こうした基本中の基本が頭からすっぽり抜けていたのは恥ずかしい。

とくにリチャードの落ち込みっぷりといったらなかった。編集部から記事を急かされており、書き上げるのに十分な取材は済ませていたのだが、名前と連絡先が必要な引用元が数名いた。キンバリーは大都市ではないが、それでも人口は20万人以上。「絶対に見つからないよ。俺はもう終わりだ」などといってしょぼくれている。

しかし、私はなんとかなるのではないかと思っていた。

名前が必要な人物の1人目は、私たちが暴動に巻き込まれた直後、スーパーマーケットの前で話を聞いた警備の白人男性だ。少なくとも店員は彼のことを知っているはずである。顔写真は撮らせてもらっていたので、それを見せて尋ねて回ればたどり着ける目算はあった。

予想はあっさり的中した。店員は「ジャコか。すぐ近くに住んでるよ」と住所を教えてくれた。家はスーパーマーケットから200メートルしか離れていなかった。

ウィルケンス・ジャコは元警察官の38歳。個人でセキュリティ会社を経営していて、スーパーマーケットを警備していたのもその仕事の一環だった。

白人である彼の視点からも、暴動のきっかけとなった260ランドの電気料金は不条理なものだという。怒りを爆発させた貧困層の気持ちは理解できる、と彼はいった。

「しかし、略奪や暴力が正当化されるはずがない。電気料金を不条理だというなら、そうした暴力だって不条理だ」

ジャコがスーパーマーケットを警備中、略奪目的と思われる人々が十数名やってきたらしい。ジャコが銃を持っているのを察すると何もせずに引き上げていった。そのときはどんな心境だったのか。

「もしも侵入を試みる者がいたら撃つと決めていた。彼らもそれはわかっていたのだろう。私が『撃たない人間』だと連中に思われたら、私は確実に殺される。自分を守るためにも撃つしかないんだ」

そう語る彼の腰には拳銃が鈍く光っていた。

この短いやり取りは私たちにとって小さくない衝撃をもたらした。私たちはジャコの腰の銃を見てほっとしたのだ。欲しいとすら思った。同時にそれは複雑な心境でもあった。

私もリチャードも、銃に悪感情を抱いていた。近年のアメリカでは無差別乱射事件が急増しており、そのような考え方をする者が増えている。もちろん無差別乱射に使われる銃と、自衛のための銃はまったく意味合いが違うのだが、そうした差異を無視して銃全般に悪感情を抱いていた私たちは平和ボケしていたのだろうか、とリチャードと話し合った。少なくとも南アの市民にとって銃は安全のための生命線であり、そこに私たちとは一線を画す世界観があることは確かだった。

次に向かったのはグリーンポイントだ。

こちらも勝算があった。タウンシップの住民はほとんどが顔見知り同士と聞いているし、これまでの経験もそれを裏付けていた。顔写真はある。取っ掛かりさえあれば芋づる式に発見できるのではないかと思えた。

見つけ出したかったのは、イキュマルを待つ間に話をした若い男性の1人。「暴動はやりすぎだ」と語っていて、タウンシップの住民からも暴力に反対する声があることを記事に盛り込みたかった。

すると、思い出したようにリチャードがいう。

セキュリティ会社を営むジャコ。暴動から2日経っても警戒を怠っていない

「そういえば、あの女の子の連絡先を聞いていた」

イキュマルとの待ち合わせ場所への道中、これ以上は進めないと判断した時に、最初に声をかけた水を運んでいた女性のことだ。探している若者と親しげだったからかなり有望である。しかし、リチャードはその女性以外の連絡先を一切知らなかった。まさかナンパ目的じゃないだろうな、と尋ねると「義務を果たしただけだ」などという。ともかくも僥倖《ぎょうこう》だった。ナディア・エイブラムズはすぐに電話に出た。先日出会った場所で落ち合うことになった。

暴動から2日経ったグリーンポイントにはまだ動乱の痕跡がそこかしこに残っていた。多少は片付いているが、路上には石や酒瓶が散らばり、ひっくり返されたコンテナもそのまま。群衆が火を焚いていた交差点は、地面が黒く染まっている。

ナディアは数名の友人とともに待ち合わせ場所に現れた。探している若者はいなかったが、写真をみせると「モートンだ」と一発で特定してくれた。その場で電話をし、発言を引用する許可も取り付けることができた。

しかし驚いたのがここからだ。ダメ元でこれまで撮影した写真や映像を見せると、「これはコートニー」「こっちはスィズエ」と淀みなく名前を挙げていく。これだけ広いタウンシップの住人がやはり顔見知り同士なのだ。笑ってしまったのが、ここから距離のある例のスーパーの前で話を聞いたある男性のビデオをみせたときだ。「俺は道路に火をつけた」と得意げに語り、カメラの前でポーズをとる男を一目見ると、みなが笑い出し「インアウトだ！」といった。珍しい名前だと思ったら、刑務所に入ったり出たりしているからイン（入る）アウト（出る）というあだ名なのだという。

これで記事が書ける。リチャードも元気を取り戻してきた。けれどもう1人インタビューをしたい人がいた。ナディアである。最初の日に言葉は交わしていたが、尻切れとんぼに終わったことが気になっていた。

彼女は快諾し、その場でカメラを回そうとすると2軒先の家から大きな音が聞こえた。家の周りが幕のようなもので覆われ、人が軒先に集まっている。音はマイクで拾った人間の声がスピーカーで増幅されたもののようで、すすり泣きにも、うなり声にも聞こえた。ナディアがいう。

「あれはお葬式。暴動で子供が撃たれて亡くなったから。ここから離れたほうがいい」

とっさに喪主の話を聞けないか尋ねてしまい、しまったと思った。8歳の子供が警察のゴム弾に撃たれて命を落としたという噂は広く流布していたが、警察の発表でも地元新聞の報道でも触れられていなかった。噂の真偽を確認できると思ったのだ。失言であり、状況をわきまえるべきだった。

ナディアは無言で首をふる。隣の若い男が「心情的にやめて欲しい。それにきっと無事ではすまない」。

グリーンポイントを出てすぐのところの空き地に移動し、話を聞くことになった。

ナディアは25歳。仕事を尋ねると「家政婦」といい、少し間を開けて言いづらそうに「あと、たまにゴミ拾い」と付け加えた。

カメラを向けると「ぶさいくだから恥ずかしい」と困ったような顔をする。そのように思う必要はないと伝えた。

顔の造形だけではなく人格を含め、不思議とナディアに対して良い印象を抱いていた。最初に

ナディア・エイブラムズ。暴動に対する戸惑いを語った

彼女に声をかけたとき、私たちは窮地にあり、彼女とその友人たちに囲まれていたゆえにある程度の安全が得られた。いわば助けられたのであり、その贔屓目《ひいきめ》もあるのかもしれない。だが、彼女の目にはまっすぐと物事を見据えるような誠意が感じられた。

その容姿は「以前よりだいぶましになった」と彼女はいった。

2年前までドラッグに溺れていて、骨と皮だけだったという。「中学生のようだった」と振り返る。ドラッグに手を出したのは父による家庭内暴力が原因だった。日常的に殴られる生活が続き、現実から逃避するために薬が必要だった。現在は親元を離れて暮らしており、自ずと薬とも縁を切ることができたと語る。

それはそれで壮絶な過去だが、平静な様子で言葉を紡いでいた彼女は、今回の暴動のことに質問が及ぶと表情を曇らせた。

暴動に参加した人々をどう思うか、暴動に参加した人と参加しなかった人の違いは何か、そうした質問に対し、深く考え込む。強い感情が内側で渦巻いているのが傍目にもわかった。「暴力はよくない」「政治家は私たちを見捨てている」「人々は怒っていた」「私たちは何も持っていない」。断片的にそう語る一方で、自分の頭のなかの思考に形を与えるための言葉を探しあぐねている様子。やがて、そのひとつの帰結として彼女はいった。絞り出すような口調。

「みんながみんな間違っている」

それは南アフリカという国の不条理が集約された言葉のように私は感じた。それからもナディアは続ける。余計な咀嚼は挟まずにそれを記す。

社会の仕組みのせいで、いつまでも自分たちが貧乏なままだとみんな知ってる。

行政は腐敗し、貧しい人たちに関心など払っていない。

貧しい人たちの憎しみは無関係な人々に向かった。

暴れた人も、ただ暮らしていただけの人も傷ついた。

憎しみや怒りはどこに向かえばいいのか。

私が暴動に参加しなかったのはただ怖かったからだ。

身の置き所がないと感じる。

苦しい。悔しい。

語りながら彼女は涙を流した。

インタビューはそこで終わりになった。体のでかい黒人の男が大声をあげながら詰め寄ってきたためだ。

「なにをしている？　許可を得たのか？」

警備員のような物言いだが、確実にそうではない。べろべろに酔っ払っているからだ。遠巻きに連れとおぼしき男がさらに5人。このパターンには飽き飽きしていた。恐れも感じたが、同時にむなしさと男に対する苛立ちを強く抱いた。心配そうな顔をするナディアを車に乗せ、その場をあとにした。

どこでおろすかナディアに尋ねると、切り出しにくそうにこんなことをいった。

「ご飯を買ってくれない？」

いくらでも買うに決まっていた。

彼女が指定したのはケンタッキーフライドチキンだった。チキンを挟んだバーガーを、とても美味しそうに食べた。昨日、私とリチャードがまずいと評したバーガーだった。

ホテルまでの道中、私とリチャードは終始無言だった。部屋に戻ると、1人になりたいといってリチャードは自室に消えた。気持ちはわかった。私たちには見聞きしたことを咀嚼する時間が必要だった。原稿のためでもある。だが、自分の気持ちの落とし所を見つけるためでもあった。

彼の目はつらそうだった。

夜の10時過ぎ、編集部に送る映像の編集を終えた頃、リチャードも原稿を終わらせて顔を出した。冷蔵庫に昨日のビールとワインが残っている。自ずとそれに手が伸びた。

私はリチャードに、暴動に参加した人々を悪だと思うか、と尋ねた。

「英語には『ナーチャー（Nurture）とネイチャー（Nature）』って物言いがあるよな」と彼が返した。ナーチャーはいわば育つ環境によってもたらされる影響、ネイチャーは生まれ持った気質だ。人の悪徳がどのように起因するかという議論において、アメリカではこのふたつの言葉がよく俎上《そじょう》に載る。

私もリチャードも、犯罪に手を染める傾向や貧困の原因を、人種や生来の気質に求めるのは馬鹿げていると信じている。ナーチャーによって人は悪にもなるし善にもなる。だが、平然とそう納得できるのは、ナーチャーによって悪になるしかない境遇が、自分とは無縁だという前提のもとで生きているからなのではないか。

南アフリカではつい最近まで、人の徳はネイチャーで決まると信じられていた。その嘘は1994年の民主化で瓦解し、善も悪も、ナーチャーによって左右されると理解されてきている。だが、そのナーチャーが個人の力ではどうしようもないという事実も同時に存在したら、どうなる？　そのなかで生きていく運命に従うしかない人はどうすればいい。

ナディアは暴動を間違っていると断言した。自分の境遇が悲しいといった。人々の憎しみがどうねじ曲がったか、客観的に理解していた。彼女はずっとあそこに住むのだろう。ずっと貧乏なままだろう。その理解を背負いながらそんな境遇で生きる悲しみはどこへいくというのか。

「俺らと彼女らは何が違う？　どこに線が引かれてる？　彼女がニューヨークに生まれていたらどうなってた？」

思わず口をついた。リチャードは顔を伏せたまま答えなかった。


翌日、私たちはキンバリーを後にした。

ヨハネスブルグへの道のりは、永遠に続く闇の中を彷徨っているかのようだった。空の星、時折やってくる対向車のヘッドライト以外に光源はない。固形のような闇をただまっすぐ貫くハイウェイをひたすらに走った。

ふいにゆるやかな丘に差し掛かり、それを越えた瞬間、視界が変わった。

光の絨毯だ。

地平線に光の粒が無数にせめぎ合い、輝く大地を形成していた。

ため息が漏れた。たった4日間離れていただけなのに、何年ぶりかの帰郷のような気分になった。

同時に、なぜ貧しい地方都市や周辺国から多くの人々がこの街に流れ込むのかがわかった気がした。この街になら何でもあるように思えた。出口のない貧困、身の置きどころのないような悲しみに苛まれた人々にとっては、もっと輝いて見えるだろう。実際には、そうした悲しみは消え去るわけではなく、蓄積され、新たな憎しみとして循環するだけだとしても。
ヨハネスブルグの夜景だった。

第5章　ヨハネスブルグ再訪

世界最悪の麻薬「ニャオペ」

ヨハネスブルグへの帰還

２０１８年８月のある日、空港で拾ったタクシーは窓を開け放ったまま街なかに差し掛かり、「閉めてくれないか」という嘆願が口を衝《つ》きそうになったが、その必要はないことに気づいて苦笑した。窓を開けながら走る車などたくさんあった。周囲を警戒する様子もなく、路上を闊歩する人々。ヨハネスブルグでは考えられない光景。ニューヨークのクイーンズは夏の盛りにあった。

メール&ガーディアン紙でのインターンシップは終了し、ニューヨークでの日々は速やかに過ぎていった。

同年9月、キンバリーの暴動の元凶といわれた自治体の長マンガリソ・マティカが辞任した。最後の弁は「公共の利益のために身を引いた方がよいと判断した」。２６０ランドの電気料金の追加分は撤廃されたが、人々の生活が苦しいのは変わりないだろう。

11月、白人農地の収用をめぐる憲法審査会が報告書を発表した。公聴会では「憲法改正と賠償金無しでの土地収用に対する支持が圧倒的」という結論になった。一方で興味深いのは、公聴会に先立って書面でのパブリックコメントが募集されていたのだが、有効意見44万９５２２通のうち、賛成34パーセント、反対65パーセント、未決定1パーセントと、公聴会とは真逆の結果になったことだ。この食い違いについて多くの専門家が疑問の声をあげたが、公的な説明はなされることなく、憲法委員会は11月15日、賛成多数で憲法改正提案を可決。白人の農地を収用する方向に向けて国全体が舵を取ることとなった。

12月、私事になるが、ニューヨーク市立大学ジャーナリズム大学院を修了した。一般的な大学の卒業論文にあたるキャップストーン・プロジェクトの制作にあたった最後の1ヶ月は暴動にも劣らない修羅場。院のコンピュータルームでは頭を抱えてすすり泣く者やアデラルという合法覚醒剤をばりばりかじりながら一心不乱にキーボードを打つ者、何日も風呂に入っていないため不衛生なペット店のような臭いを放つ者などが散見され、地獄の様相を呈した。

リチャードも首尾《しゅび》よく修了し、テキサスの新聞社に職を得た。しばらくして私たちが撮影した南アの土地問題のドキュメンタリーが小さな映画祭で受賞したと知らされた。フェイスブックのビデオチャット越しに乾杯をした。

そして2019年2月、私は東京に戻った。

この本を出版するため、友人の編集者やジャーナリストと意見を交換したり、草稿を書き進めたりしながらあたふたと過ごしていたのだが、ある時期から南アを再訪する必要を感じ始めた。

きっかけは丸山ゴンザレスという旧知のジャーナリストだ。

彼は、自身が出演するTV番組『クレイジージャーニー』（TBS）のために南アの取材計画を立てていた。そうした段階で取材者同士が情報を共有し合うことはよくある。彼からこんな質問があった。

「ヨハネスブルグの白人スラムというものに聞き覚えはないか」

初耳だった。貧困が白人の間にも広がっていることはよく知られていたし、黒人を優先して雇用する制度のため職につけない白人が増えているという話も聞いたことがある。しかし、スラムが出来上がるほど彼らの貧困が深刻なものとは思っていなかった。

だが、実在するのは確かなようだ。イギリスのBBCなどは現地に踏み込んだ記事を出していた。

それが呼び水になり、主に南ア国外のメディア報道を洗っていくと、現在南アで深刻な社会問題とされるもののいくつかについて、私は知らなかった。そのひとつが「ニャオペ」だ。HIVの治療薬が原材料と噂される正体不明の麻薬。南ア全土で蔓延し、中毒によって多数の死者が出ているという。

実のところ、このニャオペを私は以前の滞在中に見たことがあった。ソウェトの若者、ニャイコとともに貧困エリアを歩き回っていたときのこと。彼の友人たちは時たま物陰で紙巻たばこのようなものを吸い、恍惚としていて、それをニャオペと呼んでいた。もともと南アでは大麻、覚醒剤、コカイン、ヘロインといったドラッグは珍しいものではなく、とくに大麻にはウィード、ガンジャ、マリファナ、グラスといったさまざまな呼び名があるため、地元固有の大麻の別称だと思っていたのだ。

だが、調べると南ア政府はニャオペ汚染の深刻さを指して「戦争」という声明を出していた。一方で、地元ニュースでニャオペはあまり語られない。あまりにも氾濫しているため、いちいちニュースにならないのだ。距離が近すぎると全体像がわからなくなるが、このニャオペに対する私の無知はまさしくそれだった。

南アにもう一度行く必要がある。そんな思いが確固たるものになった頃、この本の版元である彩図社の本井編集長からこんな言葉をもらった。

「最初の滞在は物見遊山の気分もあったはずだ。それを終え、時間が経って、自分が見聞きしたものを咀嚼した後にもう一度取材をすれば、新たな発見があるのではないか」

心は決まった。成田国際空港からヨハネスブルグに発ったのは2019年4月末。南アでは冬が始まろうとしており、折しも総選挙を目前に控えた時期だった。

「考え得る最悪の麻薬」

「これはマリファナじゃない。マリアージュだ」

笑いどころがいまいちわからない冗談を口にしながら、男は乾燥させた大麻を巻紙の上に敷いていく。手付きは実にこなれていた。やがてポケットから小袋を取り出し、大麻にベージュ色の粉をふりかけ始める。

「これがニャオペだ。このあたりの奴らはみんなやってる。これは俺たちに『力』をくれる」

男は大麻とニャオペの混合物をタバコ状に巻きあげ、口にくわえて火を灯す。そして深々と煙を吸い込んだ。途端に瞳孔が針のように収縮し、続いて弛緩した表情が顔全体に広がっていく。

「苦痛も不安も全て消える。これがなければ俺たちは生きられない」

紫煙をゆっくり吐き出しながら、男はそう言い添えた。

ヨハネスブルグに到着した2日後、私はソウェト東部のディップクルーフ地区にいた。以前、強盗を職業としている知人を紹介してくれたニャイコの顔の広さはさすがのもので、「ニャオペを常用している人間を探している」と伝えたらすぐに引き合わせてくれた。

待ち合わせの空き地にやってきたのは3人。2人が20代、大麻とニャオペを紙で巻いて見せた男は30代で、痩せこけていたり、目の下にクマがあったり、といったあからさまなヤク中という雰囲気はなく、言われなければ普通の青年という風貌。ニャオペについて教えてほしいといったら「なんだそんなことか」といった感じで冒頭の実演を開始した。南アで犯罪者の取材をするときはいつも不思議に思うのだが、彼らはカメラで顔を映されることをまったく気にしない。名前は伏せてほしいといわれたが、彼らもそうだった。もちろんニャオペは違法品である。

「どうせ警察は俺たちを探しに来たりしない」

と1人が笑う。

「いちいちニャオペで逮捕してたらこの街から人が消えるよ」

ニャオペ一袋の価格は、ちょうど袋菓子などに入っている乾燥剤の包みと同じくらいの分量で

ニャオペの摂取方法は主に二通り。写真のように巻きたばこのようにして吸引するか、粉を水に溶き、静脈に注射する

20〜30ランド（約160〜240円）。ウンガという別名もある。大麻とともに紙に巻いて吸引する方法が一般的だが、粉末を水に溶かし、静脈に注射をするケースもある。

「一度吸うと効果は3〜4時間続く。俺は朝起きるとまず一回吸う。効果が切れそうになったら再度。1日に4回くらい吸うことが多い」

どのような感覚になるのか。

「ものすごく幸福な気持ちになる。身体が軽くなって、浮かび上がるような感じがして、キマっている間は嫌なことも不安も全部忘れられる」

すでに効果が出ているのか、男たちは神と邂逅《かいこう》した殉教者のような顔で語る。顔全体がとろんとしているが、目は大きく見開いていて、焦点がどこにも合っていない。口角がわずかに釣り上がり、身体の底から沸き上がる歓喜に身を委ねているようにも見える。

20〜30ランドというのは貧困層でも簡単に支払えてしまう金額で、やはり中毒者はタウンシップに暮らす貧しい黒人が多い。そのなかでも一際貧しい者たちは「ブルートゥース」と呼ばれる方法でニャオペを摂取するそうなのだが、これが衝撃的だった。まず1人がニャオペを静脈注射する。ほどなくしてその血を抜き取り、別の者に注射するのだ。無線で外部機器と同期するスマホのブルートゥース機能になぞらえているそうだが、最初にこの名をつけた人間は凄いセンスの持ち主だ。狂っているとしか思えない。

「そこからＨＩＶに感染する奴も多いよ。効き目が弱いから俺はやらない。やはり普通が一番だ。オーバードーズで死んでしまう奴もいるし、一度やったら抜け出せなくなるほど依存性が高いがね」

他人事のように1人がいった。

彼らの話は参考にはなったが、分からないことがまだあった。

まずニャオペをさばいている元締めは何者なのか。結論からいうとこれは今でも不明だ。多くの者は「ナイジェリア人」という。確かにナイジェリア人の売人が逮捕されたという報道は過去にあったが、ヨハネスブルグの黒人たちは何か悪いことがあるたびに「ナイジェリア人のせいだ」というので信憑性が薄い。報道されたケースは末端の売人がたまたまナイジェリア人だったと考えるべきだろう。実際、私は南ア人やジンバブエ人の売人も見た。

そしてもうひとつの疑問はニャオペとは一体何なのか、である。覚醒剤やコカイン、ヘロインなどのドラッグを〝古典〟とすれば、2000年代になってから世界中で〝新種〟のドラッグが出回っている。人体がゾンビのように溶けてしまうといわれ日本のネット上でも話題になったロシアの「クロコダイル」や、米ミュージシャン・プリンスの死因となった「フェンタニル」などが有名だ。クロコダイルの主成分はデソモルヒネといってヘロインの原材料であるモルヒネの亜種だし、フェンタニルはもともと広く処方されていた鎮痛剤だ。ニャオペは単なる呼称であって、その実態を突き止める必要があった。

調べていくと、ニャオペがどのような麻薬なのか簡潔に答えるのは難しいことがわかった。「HIVの治療薬が主成分である」「ヘロインやコカイン、LSD、メタンフェタミン（覚せい剤）などあらゆる違法薬物が混ざっている」といったさまざまな噂があるが、時期によってその正体が変化しているのだ。

現地報道にその名が現れ始めたのは2010年頃だが、流行自体は2000年代中頃から始まっていたともいわれる。報道され始めた2010年代初頭から「HIVの治療薬が主成分である」という噂は存在した。しかし2011年、クワズール・ナタール大学（南ア）の研究者が別々の場所で入手したニャオペを分析した結果、その主成分は粗悪なヘロインとストリキニーネという薬品で、HIV治療薬は検出されなかった。

だが、ここから事態は奇妙な展開を迎える。2010年代中頃から、HIV患者をターゲットにした強盗や、病院への襲撃が南アフリカ全土で増加し始めるのだ。動機はHIV治療薬を奪い、ニャオペとして使用・販売するためと考えられている。すなわち、もともとはＨＩＶ治療薬が含まれていなかったニャオペは、噂の通りにＨＩＶ治療薬を含んだ麻薬として流通し始めているという。

しかし、なぜＨＩＶの治療薬なのか。

メール＆ガーディアンのデルウィンが「あくまで巷でいわれていること」と断った上でこんな話をしてくれた。

「南アには６００万人以上のＨＩＶ感染者が暮らしていて、この病気に対する恐怖は現在でも強い。あと、貧しい黒人の間で顕著なんだけど、あまり論理的な思考が得意ではないというか、迷信深い人々が昔から多い。で、巡り巡って『ＨＩＶのような強力な疾病に対抗できる薬ならば、より強い力を与えてくれるはず』っていう素朴な思い込みに繋がったといわれてる。だから病気じゃなくてもＨＩＶ治療薬を求めるし、それがはいっているニャオペに惹きつけられている」

現在では、ニャオペは「ヘロイン、ストリキニーネ、ＨＩＶ治療薬（主にエファビレンツ）を中心に多種多様な薬品が混合されたもの」というのが通説だ。肝心なのはＨＩＶ治療薬に麻薬的な効果はないということ。ニャオペの効能として挙げられる快感や幸福感はヘロインによるものと考えられる。強烈な依存性、死亡事故が多発しているといった特徴とも合致する。

すると次はストリキニーネとは何か、という話になってくる。

これは現地の専門家たちを困惑させ、同時に驚愕させている問題だ。ストリキニーネはいわゆる殺鼠剤なのである。その毒性は極めて強く、フィクションの世界では殺人の凶器としてたびたび用いられる。なぜそんなものを混入させる必要があるのか。再びデルウィン。

「あくまでこれも憶測だけど、主にふたついわれてる。ひとつはストリキニーネを混ぜることでカサを増やし、利益を高めるため。でも、カサを増やすだけなら小麦粉とか洗剤とか、より簡単に手に入るものを使えばいいから、筋が通らないと俺は思う。もうひとつはニャオペのリピーターを増やすため。ストリキニーネを摂取すると体にすごい痛みが走るらしい。一方でヘロインには強力な鎮痛作用がある。つまり一緒に摂取している分にはヘロインの麻薬的効果が勝って、とにかく気持ちいい。でもね、ストリキニーネの作用の方がヘロインよりも長続きするといわれている。つまり、ニャオペを吸った人間は最初は気持ちよく、後から激痛に見舞われるから、その痛みを消すためにまたニャオペを吸うというサイクルに囚われてしまう。結果として、乱用者はニャオペを手放せなくなって、身も心もぼろぼろになっていく」

2011年にクワズール・ナタール大学がニャオペの分析を行った際、プロジェクトを主導したサベンドラン・ゴベンダー研究員は、このヘロインとストリキニーネの組み合わせを目の当たりにして「考え得る最悪の麻薬」と述べたという。

石を投げれば中毒者にあたる

「ニャオペは私たちのコミュニティを破壊している」

ディィップクルーフ地区で自警団の代表者を務めるタバン・マドンセラはそう訴える。彼を紹介してくれたのもニャイコだった。ニャイコの叔父にあたるタバンは、他の住民たちとシフトを組み、週7日体制でディップクルーフ地区の各地を巡回、ニャオペを所持している住民を発見して没収・破棄する活動を行っているという。

「ニャオペを使用する住民は確実に増えている。最近では月に2、3回は死亡事故を耳にする。中毒になって仕事をしなくなり、ニャオペを買うために強盗や窃盗をする者も珍しくない」

こうした話はヨハネスブルグのあちこちで聞かれる。しかしニャオペの取材を開始して最大の障害となったのが、乱用者の正確な統計が存在しないことだ。乱用者数は全国で数十万とも数百万ともいわれ、非常に曖昧。統計をとるためのガイドラインが整備されていないことも一因だが、ニャオペがさまざまな薬物の混合物であるのも大きな理由とされる。死亡事故が起きても、それがニャオペによるものか、他の麻薬によるものか断定が難しく、統計に反映されづらいのだ。

ひとつの目安として、ソウェトにあるクリス・ハニ・バラグワナス病院は、2014年から2017年2月までにニャオペが原因で心不全を起こしたと思われる患者を68名診察したと報告している。うち10名が死亡した。この傾向が全国の病院に適用できるならば、ニャオペ汚染は確かに深刻な規模だろう。

もう一歩踏み込んで乱用の実態を調べるため、タバンの自警団のパトロールに同行することになった。

ソウェト、ディップクルーフ地区をパトロールする自警団の面々

午後7時、ソウェト最大の繁華街といわれるバラ・モール周辺でパトロールは始まった。

パトロールに参加した自警団は10人。有志の住民で組織されており、全部で24人のメンバーがいるという。

日中は多くの人が行き交い、喧騒が絶えないエリアだが、日没とともに人影はまばらになる。このあたりはよくニャイコと歩いていたが、日が暮れてから出歩くのは初めてだった。自警団の見回りに同行するという特殊な状況もあるかもしれないが、なんとなく足元がふわふわと落ち着かない。やはり危険らしく、「絶対に集団から離れるな」とタバンから念を押された。

しかし、ニャオペ乱用者を発見するといってもどのように見分けるのか。

歩きはじめて5分も経たないうちに答えがわかった。

タバンは、スーパーマーケットなどで使うショッピングカートを押して歩く1人の男性を目に留めると、早足で詰め寄り、問答無用でポケットをまさぐった。すると2本の注射器とニャオペが詰められたマッチ箱が転がり落ちてきた。

ニャオペによって意識が混濁しているのか、男性は全身を調べられる間、抵抗もしなければ反論もしない。タバンは持ち物をすべて確認すると、注射器を踏み壊し、ニャオペは入念に踏みつけて破棄した。そして「二度と手を出すな」と強い口調で言い聞かせ、男性を解放した。

疑問がふたつあった。まず、なぜ男性がニャオペを所持しているとわかったのか。

返答は「雰囲気」。

中毒者は目が淀んでいるのですぐにわかるという。さらにショッピングカートを押していたことも裏付けだと語る。中毒者はニャオペを買うため、1キログラム15ランド（約120円）ほどのレートの空き缶拾いで小銭を稼ぐことが多い。大量の空き缶を運ぶためにはショッピングカートを使う場合がほとんどで、事実、男性のカートには多くの空き缶が載せられていた。

もうひとつの疑問は、なぜ警察に連行しないのかだ。

ニャオペが比較的新しい社会問題であることは確かだが、南アフリカ政府は2014年にニャオペを違法薬物と認定し、使用・所持に最大で懲役15年、売買に最大で懲役25年を科すことを決めている。その答えはにわかに信じがたいものだ。タバンはいう。

「警察はヤク中など相手にしない。数が多すぎて、一々かまっていられないんだ」

ニャオペでラリっていた3人組の言葉を思い出した。「どうせ警察は俺たちを探しに来たりしない」。

「警察は何もしてくれない。自分たちのコミュニティは自分たちで守らなければならない」

タバンはそう繰り返し強調した。

この日、たった1時間のパトロールで6名からニャオペを没収・破棄した。この成果は平均的なものであるというから、この地域においてニャオペの氾濫がいかに深刻なものかがわかる。まさに「石を投げればニャオペ中毒者にあたる」ような状況だ。

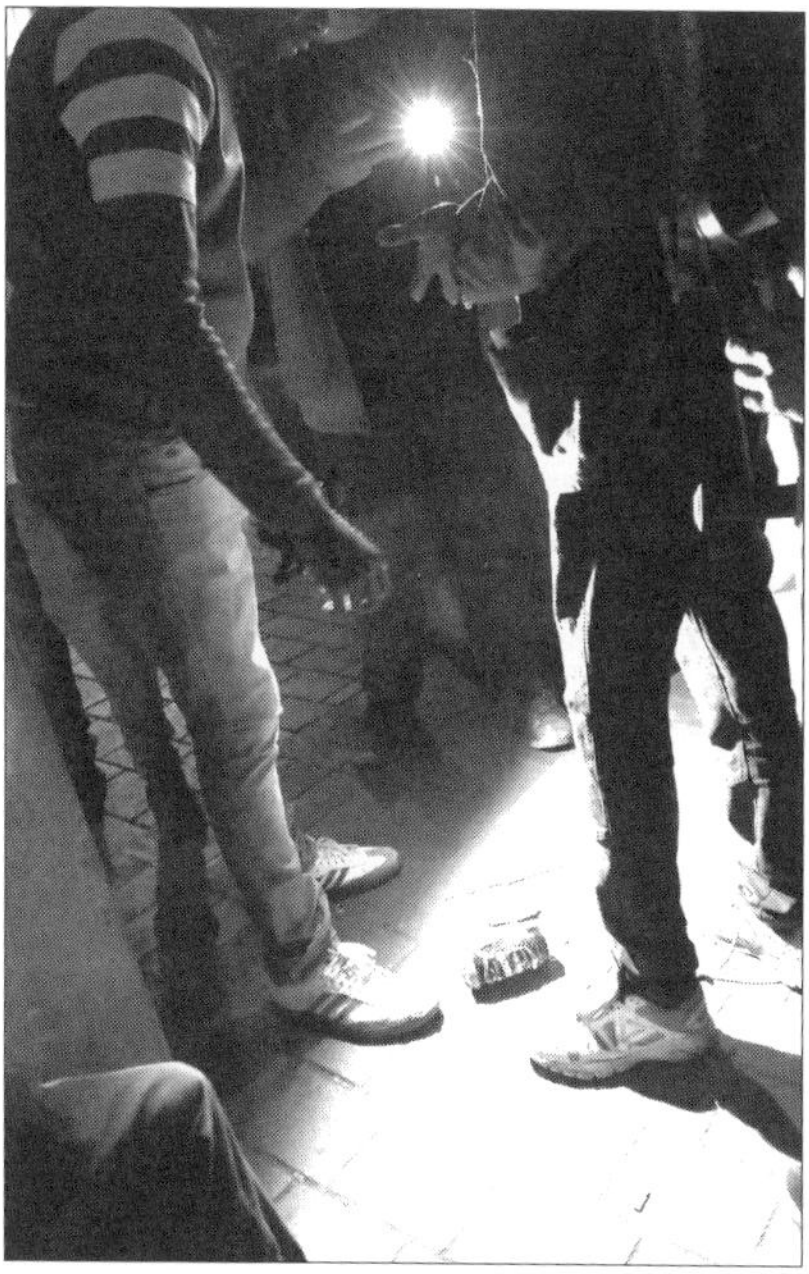
身体検査を行うと、松葉杖をつく男性のポケットからは注射器が転げ落ちてきた

タバンは「焼け石に水なのかもしれない。しかし、地道な活動を続けるほか道はない」と語った。
焼け石に水というのは事実なのかもしれない。6名のうちほとんどが、取り調べを受ける間に言葉を発することすらなかったが、1名だけ悲痛な心の内を訴える者がいた。
「仕事もない。いい事もない。薬

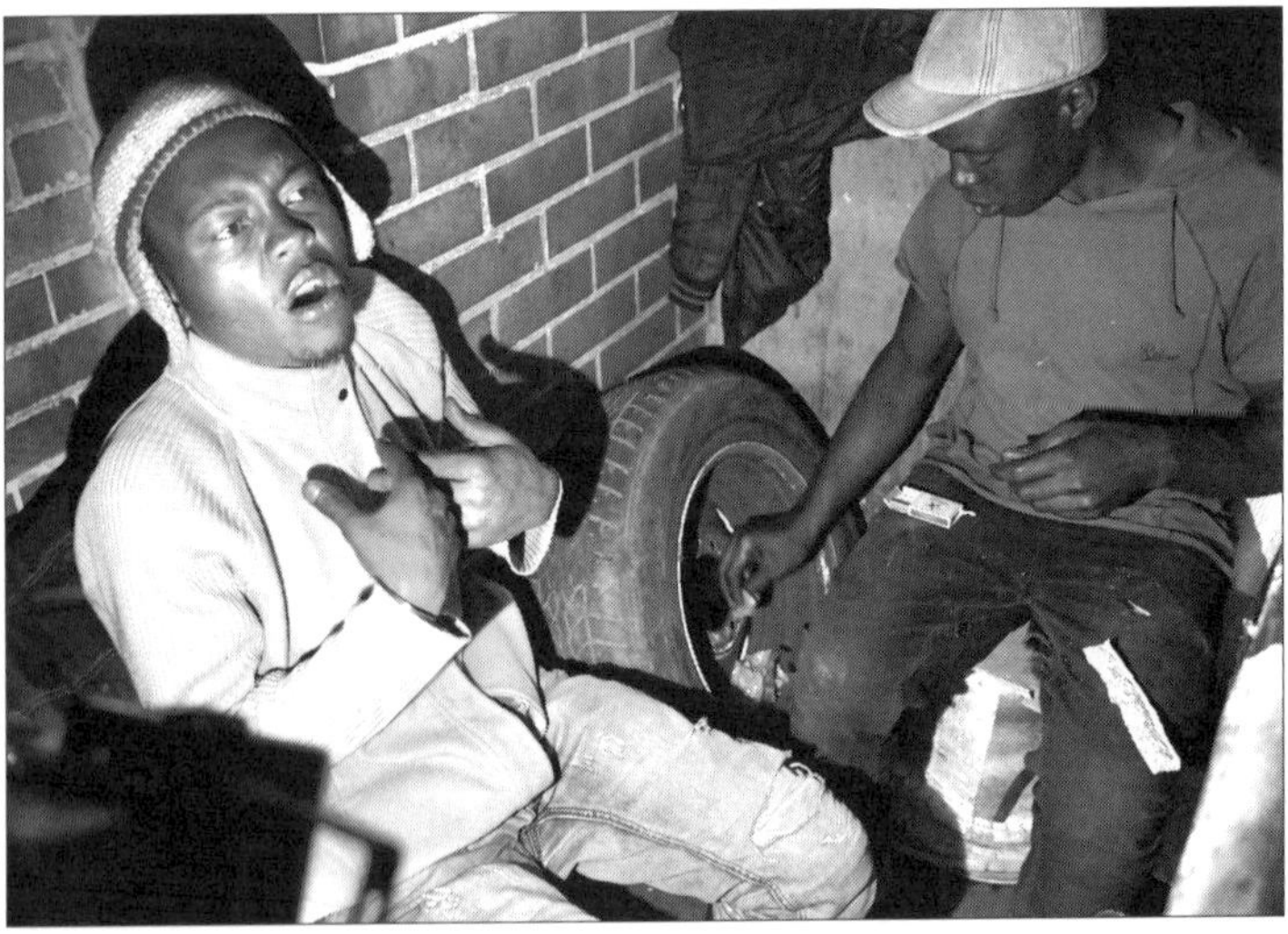

自分には薬しかない、と訴えるニャオペ中毒者。大勢の自警団に囲まれながら、右の男性は全く動じず、ニャオペ入りの紙巻き大麻を作り続けていた

しかないんだ」

そう何度も叫んでいた。

統計上、南アの2018年の失業率は27パーセントといわれるが、これは全世代を平均したものであって、黒人の若者に限れば50パーセントを超えるという指摘もある。そうしたいびつな社会が是正されない限り、ドラッグによって現実から逃避する人は後を絶たないはずだ。

ただ、これを単に「現実から逃避するための薬物の使用」という結論で片付けてしまってよいのか、という思いもある。この言葉はいわば定型句になっていて、多くの人が理解しやすい反面、この言葉を使った瞬間に実際にそこにいる人間の感情や熱もまた記号化されてしまう。

ニャオペに手を伸ばすのは、ゆるやかな自

殺なのだと思う。積み重なった絶望と、社会は良くならないという確信。社会と「折り合い」をつける程度の目的でドラッグを使う人間は、少なくともニャオペは選ばない。

白人スラムの暮らし

「正直に話すよ。悪いのは全部わたし。以前は仕事も持っていたし、きちんとした家にも住んでいた。でも覚醒剤にハマって、逮捕されて、それから全部が狂った。仕事をクビになって家を失って、両親はもう他界してた。で、ここに来たのが5年前」

そう語るエリカは30歳の白人女性。顔に刻まれたシワは深く、髪は脂で固まり束状になり、顔は垢でくすんでいた。腕のなかには生後2ヶ月の赤ん坊が抱かれている。

「ここの住民だとバレると病院から診察を拒否される。なんとか頼み込んで病院で出産できたんだ」

そういって笑う彼女の前歯はなかった。

ヨハネスブルグ北西部、マンシーヴル地区。その一角にある政府所有の土地を不法占拠して、白人のスラムが広がっていた。住民は300人ほど、エリカはその1人だ。

実際に足を踏み入れるまで白人のスラム街が存在することに半信半疑だった。統計上は貧困層に分類される白人世帯が増えていることを知っていたが、アパルトヘイトの体制側の人種、という知識から「白人がスラム暮らしのような窮状に陥るはずがないだろう」という偏見を抱いていた。

ガラス片が散らばる地面の上を裸足で走り回る子供たち、何をするでもなく座り込んで呆然とする中年男性、臨月とおぼしきお腹をしながらトタン製のあばら家に消えていった若い女性。すべてが白人だった。それはソウェトで目にするスラムを、そっくり人種だけ入れ替えたような光景。

これまでアジア、中南米、アフリカのいくつものスラム街を取材してきた。そこで暮らす人々は必ず白人以外の人種で、だからこそこの白人スラムは私にとっては衝撃的だった。広い視野で見ればヨーロッパ、とくに東欧では白人のスラム街は珍しくないそうだが。

「ここで生きていくのは難しい。空腹を満たすこともできない」

そうエリカはいった。

収入の柱は夫の日雇労働だという。主に建築作業で、月の収入は500ランド前後（約4000円）。家は土のうえにトタンで壁と屋根をつくった程度の粗末なもので、電気はなく、水は毎日井戸から汲んでくる。煮炊きをするための燃料は薪だ。赤ん坊の便がついたおむつが床に打ち捨ててあり、強い臭いを放っていた。

見れば見るほど、黒人の極貧層の暮らしと似ていた。

最大の違いは、豊かな生活を知っていること。そしてその記憶が、黒人の貧困層とは別種の絶望をもたらすことだ。

エリカとその自宅。手前の少女は近所に住む黒人世帯のご息女。スラムで暮らし始めて初めて黒人と近所付き合いするようになったとエリカは語る

「白人はね、一回失敗したら、おしまい。もう這い上がることはできない。何度も仕事を探しにいったけど、絶対に雇ってもらえないんだ」

そういいながら彼女はまた笑う。自虐的な笑み。発言の内容の深刻さと嚙み合わない表情に少しだけ背筋が寒くなった。

この取材が実現したのは「南アフリカ家族救済プロジェクト（SAFRP）」という非営利団体の協力があったためだ。リー・ドゥプリーズという白人男性が運営しており、ヨハネスブルグの白人スラムの生活支援を行っている。取材依頼をしたところ、「海外からの取材は大歓迎だ」と快く受け入れてくれた。

そして彼は、以前私とリチャードが取材したアフリカーナー農夫コーシーと同じことを

マンシーヴル地区の風景。住居はほとんどが土間で、夏は汗が噴き出るほど暑く、冬は寒いと住民は語る

いった。「白人の窮状が黙殺されている。どうか国際社会にこのことを知らしめて欲しい」。

確かにマンシーヴルの白人スラムの暮らしは劣悪だった。

かつてこの土地はゴミの集積場で、その上にわずかばかりの土が敷いてあるだけだという。だから雨が降れば悪臭が立ち上り、ゴミが地面から露出することもある。ガラス片が目立ったのはそのためだ。裸足で歩き回る者が多いため、破傷風などの感染症が深刻な問題になっている。

土壌がそうした状況のため、作物を育てることもできない。住民はわずかばかりの日雇いの賃金と、SAFRPのような支援団体が支給する食料で食いつないでいる。

トイレは工事現場に設置してあるようなくみ取り式。ちょうど私が取材をしているとき

子供の姿が多いが、裸足で歩き回ることが多いため、路上のガラス片などで足を傷つけることによる感染症が深刻な問題になっている

バキュームカーがやってきていた。週に1回しか来ないから、排泄物が溢れて悪臭を放つ。

子どもたちは無償の義務教育を受けられるが、学校は遠い。20㎞先であり、通うためには黒人が経営する乗り合いタクシーを使わなければならない。取材時に私を案内してくれたドゥプリーズ婦人は「乗り合いタクシーは非常に危険。犯罪に巻き込まれる可能性もある」と訴えた。

ドゥプリーズ婦人はさらに語る。

「何よりも問題なのは国を挙げて白人たちの窮状を無視していることです。白人は殺されようとしている。メディアが取り上げないのも、国が動こうとしないのも、自分たちが間違っていたと認めたくないから。ネルソン・マンデラは虹の国をつくるといった。自由で公平な国をつくると。ならばここに暮らす白人たちは何なのです？　こうした集落がヨハネスブルグには86箇所もあるのに」

怒りをぶつけるように婦人はいった。

しかし、あくまで個人的な意見としていうが、私は、同程度、もしくはそれ以下の生活水準の黒人はいくらでもいるではないか、と思っていた。乗り合いタクシーに至っては日常の交通手段としてそれしか使わない黒人が多数派なのに、その物言いはどうなのだろうか、と。

白人の窮状を無視している、と彼女はいうが、やはり報道はされている。メール＆ガーディアンの同僚にも尋ねたが、白人の貧困を報じる記事は無数に書かれていた。同僚記者のカールは語る。

「生命に危険が及ぶような貧困は是正されなければならない。だから私たちは記事にする。白人も黒人も平等に。でも記者だって有限であるから、極貧のなかで暮らす黒人が圧倒的多数である以上、白人の貧困を伝える記事が少なく、黒人のそれが多いのは自然なことだと思う」

私もそれに同意する。加えて言うならば、南アだけでなくアメリカでも近年になって聞かれる「プア・ホワイト（貧しい白人）」という言葉も釈然としない。「プア・ブラック」という言葉は存在しないのだ。白人が貧しくなればそれが社会問題として報じられ、黒人が貧しいことは自然に受け入れられる世間は、「平等で公平」と呼べるのだろうか。

それを前提として、しかし、南アで貧困に陥ってしまった白人固有の危機は存在する。これは無視できない事実だ。

エリカは「いくら仕事を探しても絶対に雇ってもらえない」と語った。これは彼女の運が悪いわけでも、日頃の行いが悪いわけでもない。現在の南アには「ブラック・エコノミック・エンパワーメント（BEE）」という政策がある。格差是正のため、企業は黒人を優先して雇用しなければならないという枠組みだ。たとえば白人の候補者と黒人の候補者が最終面接まで残り、能力や年齢がほぼ同じなら、自動的に黒人が雇用される。そして黒人が人口の圧倒的多数派である以上、白人はきわめて分が悪い競争を強いられることになる。

もうひとつ、白人スラムの住民の話を聞き進めていくと、白人スラムは一見集落だが、黒人のタウンシップのようなコミュニティ機能を持っていないことに気づいた。これは貧困のなかで生きるうえで生死を分かつほど重要なことだ。

例えば、黒人たちはお金をプールし、コミュニティの成員やコミュニティ自体が何らかの問題に直面したときに、それを使って問題を解消するという文化がある。白人スラムにはそれがない。

マンシーヴルに暮らす52歳の男性はこんなことをいった。

「この集落にはリーダーがいない。それぞれの住民が別々に生きている。世間話くらいはするが、団結して集落を良くしていこうという姿勢がない。それぞれが好きに金を使ってしまうからトイレも良くならないし、病気をしても見舞金もない」

つまるところ、白人は〝貧困慣れ〟していないという、その一言に尽きるのだ。スラムのような貧しい環境で生き抜いていくノウハウがない。貧困の歴史が浅すぎるといってもいい。

タウンシップの黒人は、たしかに貧困のなかに生きているが、自分たちのコミュニティを愛している。白人たちの集落からはそれが感じられない。危険なことだ。生きる上での絶望につながる。そして、南アの世論としてはそうした貧困を生き抜く術がない貧困層の白人も、圧倒的多数の黒人と並列に語られている。

この視点に立てば、たしかにスラムに暮らす白人は不可視の民だ。逆説的な物言いになるが、「平等で公平」を標榜するならば、そうした白人を救済するなんらかの取り組みは必要だろう。

取材を終え、Ｕｂｅｒのアプリで手配した車に乗り込んだときのドライバーの一言が象徴的だった。珍しく、黒人女性のドライバー。私は目の前の集落が白人のスラムであることを知っているか尋ねた。彼女はあっけらかんと言った。

「白人がこんなところに住むはずないじゃん」

ソウェトの若者たち

日本は同調圧力の強い社会だとよくいわれる。他人と違うことをすれば非難されやすいし、集団から阻害されないよう個人個人も無意識のうちに忖度を行い、他者と同一化しようとする傾向は確かにある。けれどもこれは日本固有のものなのだろうか。

ニャイコとソウェトを歩き回るうちに、南ア人、少なくともタウンシップに暮らす黒人の間にも強固な同調圧力が存在し、それがさまざまな社会問題の根っことなっている構図が見えてきた。

最たるものは高い退学率だ。2014年から16年にかけて全国で行われた世帯調査によると、日本で高校3年生にあたる学年までに51・5パーセントの児童が学校を辞めてしまう。かつて教師だったニャイコはいう。

「とくに13歳から15歳くらいにかけて学校を去っていく子供が多い。一般的に理由として挙げられるのは『家の経済状態が厳しく、働きに出るため』。これも間違いじゃない。だが、最大の要因は親や周囲の友人、すなわちコミュニティからの同調圧力だ。まず親世代は学校教育が重要ではないと考えている人が多い。若者の間では学校に通うことが『クールではない』という風潮がある。その一方で犯罪で生計を立てることに拒否感がない。そこに『学校を卒業してもどうせ仕事など見つからない』という閉塞感が加わって、勉学に意味を見いだせなくなってしまう」

そこからは悪循環だ。学校教育を受けなければ職は見つかりづらいので失業率が高まる。犯罪に手を染めるようになって犯罪率が上がる。社会不安が強まり、「努力しても何も変わらない」という諦めはさらに強くなる。そんな彼らが親になったとき、子供もその考え方を引き継いでしまう。政府は黒人が優先的に雇用される枠組みをつくっているが、そもそも教育を受けていない人に雇用機会は回ってこない。

ニャイコが教師を辞し、教育系NPOに職を求めたのも、既存の学校システムではこうした悪循環に対応できないと判断したためだという。

ニャイコは「自分は運が良かった」と語る。父が事業をしており、裕福だった。教育の重要性を知っており、高等教育を受けさせてくれた。学業に励んでいるときはやはり幼馴染から白眼視されることもあったと振り返る。

「アパルトヘイト世代と自由世代って言葉を知っているか。アパルトヘイトが終わった1994年以降に生まれた黒人を自由世代と呼ぶ。彼らは生まれながらに選挙権や職業選択の自由があり、貧困層なら無償の義務教育も受けられる。この2つの世代の境遇は大きく違うし、一般的には人々の気風や社会に対する態度も一線を画すといわれる。でも結局、政治システムが変わっても、コミュニティの同調圧力までは変わらない」

自由世代の黒人は、アパルトヘイトの遺恨《いこん》をあまりもっておらず、というよりも当時のことを知らない人が多く、白人と進んで交流する傾向にある。そうした交流のなかで人種差別を経験することもあるが、あまり気にしない。

一方でアパルトヘイト世代は白人に対して「苦々しい感情」をもっているとニャイコは語るが、聞いていくとそれは単なる遺恨という言葉に収まるものではないようだ。

「白人を憎んでいるのと同時に、白人は自分たちより優れている、という思いがある。これは複雑な感情なんだ。畏敬といってもいい。たとえばアパルトヘイト時代に郷愁のようなものを抱いている人々も一定数いる。そうした人々は現在のANC政権よりアパルトヘイト政権の方が良い部分もあった、と考えている。白人たちは黒人に残酷だったけど、汚職は少なかったし、社会もいまほど危険じゃなかった。当時は『秩序があった』という言い方をする人もいる。彼らの考え方の根底には「自分たちは白人に尽くすもの」というのがあり、何十年にも亘《わた》って刷り込まれてきた認識はそう簡単に消えない」

肝心なのは、自由世代を育てるのはアパルトヘイト世代であることだ。

教育機会を与えられなかったアパルトヘイト世代にとって、教育の重要性を認識することは簡単ではない。仕事を得るためだけではない、法を遵守する倫理観やＨＩＶなどの疾病から身を守るための知識も教育から身につけられる。いくら口でそういわれても、自分たちが体験してこなかったものを信じ、子供たちにそれを与えるのはなかなかできることではないのだ。

それでも、変化の兆しはある。ニャイコは語る。

「１９９４年以降に生まれた自由世代も親になり始めている。なかには学校に行かず、昔の世代の価値観を引き継いでいる者も多いけれど、自分たちに冠された『自由』の意味を理解している者だっている。彼らの子が大きくなり、世代が巡っていけば少しずつ状況はよくなっていくはずだ」

ひとつ、記憶に残る出来事があった。ニャイコとともにソウェトを取材中、私はノートをどこかに置き忘れてしまった。アイデアを書き留めるのに使っているもので、取材対象者の情報などが記されていなかったのは不幸中の幸いだが、やはり痛恨だった。心あたりの場所を探したが見つからず、半ばあきらめていた。

翌日、ニャイコから電話があった。

「ノートがあったよ。道端に落ちてた」

聞けば私と別れ、日が暮れてからも探し、それでも見つからないから翌朝も捜索してくれたという。感謝しかない。

本題は、発見時のノートの状態だ。3分の1くらい記入済みだったのだが、ニャイコがみつけたとき、その部分だけが残され、残りの白紙のページが持ち去られていた。「勉強道具はどの家庭でも不足しているから、親が子供のためにもっていったのかもしれない」とニャイコはいった。

ソウェト住民の犯罪観

人間の適応力というのはすごいもので、ヨハネスブルグに初めて足を踏み入れた頃は電流フェンスの外側を歩くだけでも心拍数が上昇したが、生活を続けていくと犯罪者と面会したり、目の前で麻薬を摂取している人間を見たりしてもなんとも思わなくなる。適応、というよりただ感覚が麻痺しているだけなのかもしれないが。

やはり一度南アを離れたのは取材をするうえで助けになった。ソウェトを再訪した際、ひじょうに根本的な疑問を抱いた。

この街の人たちは犯罪に対してどういう認識をしているのだろう。

私がニャイコと話をするとき、だいたいの部分で共感できる。教育の重要性について語る彼の意見はもっともだし、地域に雇用をつくりたいという夢も理解できる。だからこそ、平然と強盗を職業にしている者や麻薬中毒者を私に紹介することに違和感を覚える。彼自身が強盗や麻薬といった犯罪行為に手を染めたことはないというが、日本人の感覚なら自分の友人が犯罪者であったら忌避感を抱くし、第三者に紹介などしないと思うのだ。

ただこの疑問については「それこそ人間の適応力の話であって、幼い頃から犯罪者が身近にいるのが普通ならば何とも思わないことが自然なのでは？」という考え方もできる。

だから、この疑問をこう言い換えたい。

なぜこれほど南アの人々、とくにタウンシップに暮らす黒人たちにとって犯罪のハードルが低いのか。

これまで何度も触れたが、南アは「犯罪天国」と呼んで差し支えない。殺人こそ世界最悪といわれていた90年代のピーク時から減少しているが、強盗やカージャック、窃盗事件は毎日のように頻繁に発生している。

犯罪をしなければ生活が成り立たないような社会構造になっている、というのは真っ先に挙がる理由だろう。それは事実だが、人は貧しいというだけでそう簡単に犯罪に手を染めるものではない。

法という社会的制裁のガイドラインが存在すること。

人間は罪悪感を抱くこと。

こうした要因で必ずどこかでブレーキがかかる。南アのタウンシップの住民より貧しい環境で暮らす人々は世界各地にいるが、犯罪率が必ずしも高いわけではないのがその査証だ。

昔から南アの犯罪率の高さは専門家の関心の的になっていて、さまざまな言説が紡がれてきた。

ひとつは、こちらもこれまで何度か語った警察機構の脆弱さだ。

話を聞いてきた移民や、地元の自警団は口を揃えて「警察は頼りにならない」という。犯罪者まで同じようなことを言っているから笑えない。

確かに、警察力の低さはアパルトヘイト終焉以降、長らく南ア社会が直面している問題だ。

１９９０年代から２０００年代にかけて、南アでは毎年２００名以上の警官が殉職していた。近年は比較的改善しており、例えば２０１７年４月から２０１８年３月にかけての殉職数は85名だが、それでも異常な数字に変わりない。死と隣り合わせなのに薄給なのも問題とされる。いわば南アの警官は〝使い捨て〟の状態で、これではモラルが維持されるはずがない。

その結果として警官は真剣に働かず、汚職に精を出すようになる。具体的に言うと未許可の露天商を脅して金銭を巻き上げるなどだ。

犯罪を行っても警察が働かないわけだから、犯罪のやり得ということになる。こうした背景を考慮すれば、社会的制裁が機能しないから人々が犯罪に走りやすい、というのはある程度納得ができる。

それでは罪悪感とはどう折り合いをつけているのか。

アパルトヘイト世代から聞いた話にヒントがあった。

この滞在中、ジャニュアリーという52歳の黒人男性をドライバーとして雇っていた。「無職で困っているらしい。タクシーを使うくらいなら彼を雇ってあげてくれ」とソウェトの自警団のメンバーから紹介してもらったのがきっかけだ。あちこちを移動して回る合間に、アパルトヘイト時代の暮らしぶりについていろいろな話を聞いた。

彼いわく、タウンシップの外側に出ることは「恐ろしい」ことだったという。白人は強大な存在で、警察からはどんな言いがかりで逮捕されたり、暴力を振るわれるかわからない。

「今の白人がお屋敷のなかに閉じこもっているのと似た心情かもしれないな」

と彼はいう。

やはり、白人に対する憎しみもあったという。

「だから白人を強盗したり、殺したりした奴は英雄扱いされた」

これはひじょうに重要な発言に思えた。

ルサンチマンの発露として犯罪が行われるのなら、そこに罪悪感は生まれづらい。

そもそも人は純粋な悪意から他者を害することはなかなかできないものだ。アパルトヘイトを推進した白人たちは「黒人を保護する」という使命感のような倒錯した感情を抱いていた。黒人たちにとっての犯罪は、強大で、ときには畏敬の対象でもあった白人たちへの復讐としての側面があった。これもまた、ある意味で倒錯した感情である。相手が強大であるからこそ成立する構図であって、だからこそヒロイックな自己肯定も付随する。

アパルトヘイトが終わった現在でも、やはり白人の多くは裕福で、黒人の多くは貧困に苛まれている。「体制側の人間に対する復讐」が「富める者からならば奪ってもよい」という認識へと変質し、それが世代を超えて保持されているのなら、確かに貧しい黒人の間で犯罪に手を染めることのハードルが異様に低いことも説明できる。ニャイコは若者の間では犯罪に憧れを抱く風潮があるといったが、そうした認識につながるのも不思議ではない。

パトカーを盗んでようやく「犯罪者」

ところで、ソウェトの人々の犯罪観がどのようなものかおぼろげに理解できる体験をした。総選挙を翌週に控えた金曜日、ニャイコから「パーティにいかないか」と誘いがあった。ソウェトの中央部に位置するクリップタウンというエリアで、地元民のホームパーティがあるという。主催者の友人が知り合いで、ニャイコはその人物から招かれた。詳細はわからないらしいが、

「若い奴らが集まってわいわいやるんだ。ソウェト民の素の顔を見られるいい機会じゃないか」

とニャイコ。

確かにいい取材になりそうだ。このとき、私が南アを再訪するきっかけとなったジャーナリスト・丸山ゴンザレスさんもヨハネスブルグに滞在しており、取材を終えて一段落しているというので一緒に行くことになった。

クリップタウンへはソウェトの繁華街にあたるバラ・モール周辺から車で20分ほど。日が暮れてから、ニャイコの父の知人という男性の運転で出発した。仕事がなくて困っているから運賃という形で援助してあげてほしいとニャイコはいう。ジャニュアリーと同じパターンだ。

ホームパーティというからには、やはり誰かの家が会場なのだろうか。おばあちゃんが自慢のパイのようなものを振る舞い、近所の若者たちが和気あいあいと盃を酌み交わす光景をイメージして、何か差し入れでも買って行くべきだろうかなどと丸山さんと話し合っていた。

結論から述べればその必要はまったくなかった。というよりも、そのホームパーティなるものは私たちの想像とまったく違った。

「もうすぐ目的地だ」とニャイコがいった段階で、道路の両脇に家屋が立ち並ぶ住宅街を車は走っていた。気になったのが、その道のかなり先に火のようなものが見えたことだ。ソウェトでは焚き火で暖をとる人は珍しくなく、そのたぐいだと思っていた。

車はそのまま火に近づいていく。それにつれて火が焚き火などと呼べる規模ではないことがわかった。キャンプファイヤーくらいの大火が住宅街の道路のど真ん中でごうごうと燃えている。腹に響くトランスミュージックが鳴っていることに気付いた。窓を締め切った車内で聞こえる音量から逆算してかなりの爆音。そして、火の周囲で100人くらいの黒人が踊り狂っていた。

まさかアレではないだろう、と思った瞬間に「着いたぞ」とドライバーは私たちを降ろした。

「ここで待ってるから楽しんでこい」

これのどこがホームパーティだというのか。私と丸山さんはしばし呆然としてしまった。ニヤイコもこれほどの規模だとは思っていなかったらしく、半笑いだ。

普通の住宅街のど真ん中にクラブの中身をそのまま持ってきたような有様だった。DJブースがあり、その周囲にはいくつものウーハーが設置されていて、耳に口を近づけて大声で叫ばないと会話ができない。手から手へと回っていく紙巻き大麻。火のすぐ近くで蠱惑的《こわくてき》に腰をくねらせる女性がいると思えば、酒瓶を片手にその尻に見惚れる男たち。だが、少し視線をずらせばなんの面白みもない住宅が立ち並んでいて、まったく現実感がない。丸山さんは「世界最先端のクラブに来てしまった……」とぽつりとつぶやいた。

ともかくも飲まなければ状況に追いつくことができないという結論になり、道の脇には酒類を販売するブースがあったのでさっそくビールを購入し、3人で乾杯した。

人々はフレンドリーだった。東洋人がこんなところまで来るのが珍しいのか、私と丸山さんを目に留めると詰め寄って、肩を組み、乾杯をする。数十人とそれを繰り返した。ある者は「ソウェトの〝ホームパーティ〟に参加した日本人なんて絶対お前らが初めてだぞ」と爆笑しながら語った。

聞けばこうしたパーティを月に1回くらいの頻度で行っているという。「パーティはソウェト

ソウェトのホームパーティ

の文化だ。この熱気こそソウェトの本当の姿なんだよ」と煙突のように大麻の煙を吐き出す男がいった。

当初は面食らったが、楽しい空間じゃないか、そんなふうに思い始めていた。

けれど、ある人物の登場で雲行きが怪しくなり始める。

「お前も来てたのか！」

と丸山さんに声をかけ、親しげに肩を組んでくる男があった。強面、どころではなく、人類の図鑑をつくる際に「凶悪犯罪者」のページがあったら参考例としてそこに顔写真を掲載したいほど恐ろしげな雰囲気をまとっている。

彼は数日前に丸山さんが取材をしたギャングのリーダー。覚醒剤をガンガンに吸引しながらカメラの前に立ち、自分たちの強盗の手口を赤裸々に語った男だった。

「お前はもうフレンドだ。今日はめちゃくちゃ飲もうぜ」

やけにテンションが高く、小刻みに片足で足踏みしながら絶叫するように話す。数多くの危険地帯で取材をしてきた丸山さんですら及び腰になっている。

テンションが高い理由はすぐにわかった。ポケットから白い粉が入った小袋を取り出して鼻から吸引している。コカインだった。それも数分に一度という信じられないような頻度。いちいちナイフの先端で粉を取り出し、思いっきり吸い込んでは雄叫びを上げている。

丸山さんが気に入ったのか、それとも別の狙いがあったのか、この男はずっと私たちから離れなかった。ギャングのリーダーというのは嘘ではないらしく、さまざまな者がやってきて挨拶をするが、その合間に必ず「飲んでるか！」と私たちにいって飲酒を迫る。だんだん居心地が悪くなってきた。

「この状況、まずくないですか？」

と丸山さんに耳打ちすると彼も同意する。ニャイコも不安になっているらしくそわそわしていた。一方で男はますますハッスルしていく。

「せっかくだ。取材じゃ見せなかった俺の一番ヤバい秘密を教えてやる。すぐそこだから俺の家まで来い」

この段階で急に怖くなってきた。男は本物のギャングだ。「フレンド」などと言っているが、ついて行ったら何をされるかわからない。ニャイコが小声でつぶやく。

パーティの数日前に丸山ゴンザレスさんが撮影した地元ギャングたち。左から二番目がギャングのリーダー

「ヤバいよ。俺はこの人知らないし。逃げたほうがいい」

時間が経てば経つほど状況が悪化するのは明らかだったので、勇気を振り絞って男に帰宅する旨を伝えた。男は座った目つきでいった。

「パーティは朝までだ。楽しくないのか。もっと飲めよ」

なぜヨハネスブルグで新橋のサラリーマンのような会話をしなければならないのか。恐怖と情けなさで涙が出そうになった。

幸い、これまた人相の悪い別の男がやってきて、何やら話し込み始めたのでその隙に逃げることにした。車が停まっているのは100メートルほど先。ニャイコの姿が見えなかったが、一度車に乗り込んでから電話をすれば合流できると判断した。丸山さんとあたふたと歩く。男が気付いて追いかけてきやしないかと気が気でなく、足がふわふわした。そして車を降りた場所までたどり着いたのだが、車がなかった。

唖然とした。睾丸が萎縮する感覚。とっさにUberアプリで別の車を呼ぼうとしたが、配車まで24分と表示される。1秒でもこの場所に居たくないのに。

結局もとの場所に戻った。ニャイコの姿があり、男は相変わらず話し込んでいた。

きわめて尋常に、大した問題はないが気になったので一応、という雰囲気を醸しながらニャイコに車が消えていることを伝えた。ニャイコは頼りになる男だ。彼なら「辺りを走ってるようだが、すぐに戻るようにいうよ」とか「少し移動したらしい。すぐそこだ、行こうか」といった返事をしてくれるのを願いながら。

しかしニャイコの奴ときたら「えっ……?」などと絶句する。

やめてほしい。真剣な感じになるな。私も怖いのだ。

慌てて電話をするが応答はない。目の前が真っ暗になった。ニャイコを招いた友人はすでに帰っているようで、私たちはこの狂乱のパーティ会場でただ孤立していた。そしてコカインを分単位で吸引する危ない奴に目をつけられている。こうした状況を指して絶体絶命というのではないのか。

考えをまとめる暇もなかった。ふと横をみると丸山さんが例の男に引きずられるようにして連れて行かれようとしていた。ニャイコとともに後を追った。何か考えがあったわけではない。少なくとも1人より3人の方が、何か起きたときにマシなのでは、という根拠のない思いがあった。

ギャングリーダーの自宅に隠されたパトカー。パトカーにはGPSが備わっているが、その信号を無効化する装置を使って追跡を防いでいるという

パーティ会場から男の家は徒歩1分も離れていなかった。玄関で「ここに俺の秘密があるんだ」とにやにやしながらいう。よく見たら男は男根を模したネックレスをしていた。まさかレイプされたりしないだろうか。

家のなかを通り、ガレージに行く。明かりがなく、何も見えない。

「驚くなよ」

そう男はいって照明をつけた。

そこにはパトカーがあった。

それを見たとき、私は状況をよく飲み込めなかった。「この男、ギャングでありながら実は警察官でもあるのか。それはそれで驚きだが、南アの警察の腐敗ぶりを考えたらありえそうなことだし、ここまでもったいぶるようなことだろうか」などと見当違いなことを考えていた。丸山さんとニャイコは驚愕している。「マジかよ……」と丸山さんがつぶやいた。

「こればっかりは絶対に他言するなよ」

丸山さんらの驚きの表情を嬉しそうに眺めながら男はそういった。

それで男は満足したのか、私たちをもとの場所に戻した。ほどなくしてドライバーに連絡がつき、車がやってきた。男は車に乗り込むときまで私たちにくっついていたが、「本当に帰るのか」などといってそれまでほどの押しの強さはない。最後の最後で「飲み物代を寄越せよ」という。男に支払う道理はなかったが、要は「小遣いを寄越せ」という意味と判断し、私と丸山さんがそれぞれ100ランド（約800円）ずつ払った。

車が走り出し、バックミラーの炎が小さくなったところで、私たちは盛大なため息をついた。丸山さんとニャイコが興奮した様子でまくしたてる。

「あの男、ヤバい。マジでヤバい」「イカれてる」

いまだに私だけパトカーの意味を理解できていない。ただ、冷静に考えればわかるはずだった。仮に警官として働いていてもパトカーで出退勤はしない。つまり、民家にパトカーがあるはずがない。彼らはいう。

「あいつ、パトカー盗んできたんだよ」

マジかよ……、と周回遅れで丸山さんがいったのと同じ言葉が口を衝いた。

安全が確保され、緊張の糸が切れた私たちはむしろハイになっていた。笑いが自然とこみ上げてきて、とにかくみなで「ヤバい」「ヤバい」と何回も連呼した。そして、ニャイコが絶叫するようにいったのだ。

「あいつはマジモンの犯罪者だ！（He is a real criminal!）」

ともかくも絶体絶命を乗り越えた歓喜と安心感は身体が震えるような快感で、車内の興奮はなかなか収まらなかった。


後から考えれば、ニャイコがいった「マジモンの犯罪者」という言葉は感慨深い。犯罪者にマジモンもパチモンもない。法を破れば犯罪者である。突き詰めれば、この言葉がソウェト住民の犯罪観を表していると私は考える。

法律上、強盗は犯罪ではあるが、彼らから見れば犯罪とくるほどのものではない。麻薬の使用も然《しか》り。パトカーを盗むというような大それた行為に至ってようやく「犯罪」なのだ。

ソウェトの人々は犯罪に対するハードルが低いと思っていたが、その「低さ」の具体的な尺度のひとつを垣間見た気がした。

ちなみにドライバーがなぜ姿を消していたのかもわかった。帰りの車の中で彼はこういった。

「あの場所を離れていた理由なんだが、ガラの悪い連中が俺の車を見て『いい車だな』とか『奪っちまうか』とか言っていて怖くなって逃げてたんだよ。すまなかった」

パーティ会場があったクリップタウンはソウェトでもとくに失業率が高く、地元の人々の間でも治安が悪いと忌み嫌われていることを後から知った。
ソウェト民の〝ホームパーティ〟にはもう行かない。そう誓った。

物語の不在

人が生きるために必要なものとは何か。酸素、水、適切なカロリーがまず挙がる。ワクチン、行政サービス、安定した治安はどうだ。人によっては自由と民主主義を挙げるかもしれない。いずれも人が生きていくためにかけがえなく、私たちの身の回りに当たり前のように存在するもの。だから私たちはふだん、その価値を意識しない。

1994年に南アの黒人たちが手にした自由と民主主義は、文字通り血と苦難の積み重ねの果てに勝ち得たものだ。25年が経った今日、その輝きは往時の鮮やかさを保持しているのだろうか。その試金石となる総選挙が2019年5月8日、南ア全土で実施された。

11日に発表された最終開票結果によるとシリル・ラマポーザ大統領率いるANC（アフリカ民族会議）の獲得票は57・5パーセント。アパルトヘイト終結以降、6期連続となる政権維持に成功した。

ＡＮＣの勝利を予想しなかった者はいないはずだ。この政党は南アフリカの黒人にとってアパルトヘイト打倒の主人公であり、解放の象徴。「南ア黒人に政党の選択肢はない」という言葉まである。黒人は人口の８割近くを占めるわけだから、ＡＮＣの地盤が揺らぐことは本来ありえないけれど、今回の選挙結果はネルソン・マンデラ元大統領がＡＮＣを勝利に導いて以来、最低の成績だった。過半数を確保することに成功したものの、獲得票は２０１４年選挙の62・２パーセントから4・7ポイント下落、議席は19減って定数４００議席のうち２３０となった。

同時に、若者の政治離れも顕著だった。南アの平均年齢は27歳。若者の支持が選挙結果を大きく左右するわけだが、30代の有権者登録が６６７万人以上だったのに対し、20代は５３１万人と過去最低の水準だ。

専門家たちはいう。

続発する汚職や長年に亘る経済停滞、高止まりする失業率を解消できないＡＮＣに対する国民の失望を反映した結果であると。

一方で異なる見解を述べる者もあった。メール＆ガーディアン記者のカールはいう。

「アパルトヘイトを打倒した『理念』を信じられなくなっている者が増えている」

マンデラは、さまざまな人種と民族が融和して輝くようにという願いから、アパルトヘイト撤廃後の南アを「虹の国」と呼んだ。その根底にあった非人種主義と自由主義の理念。これこそ当時の南アの人々、とりわけ黒人を熱狂的に駆り立てたものだ。

もちろん、理念だけでアパルトヘイト体制から非人種的民主主義体制への移行が「奇跡的」と称されるほどのスムーズさで進んだわけではないことは補足しておきたい。時代の大きな流れもあったうえ、政治的なテクニックもあった。冷戦の終結によってアパルトヘイト体制側と反アパルトヘイト勢力の両者は後ろ盾を失い、落とし所を模索する必要があったし、マンデラが少数派である白人たちの納得できる権力の配分を確約したことも無視できない要因だ。

とはいえやはり、当時の社会の最大の原動力は理念であり、今から25年前、南アは「虹の国」を目指して順風満帆なスタートを切ったのだ。

現在、「虹の国」が実現されているかといえば、自信をもって「そうだ」と言える者は皆無だろう。世界最悪の格差。高まり続ける人種間のヘイト。その現実を突きつけられ、人々は目指すべき方向を見失っている。ANCの支持率の低下はその帰結だ。

ソウェトのニャオペ中毒者の男性。ケープタウンのスラムに暮らす男性。ムプマランガで日雇い労働に従事する男性。かつてマンデラが示した「虹の国」というビジョンを熱烈に支持した貧しい黒人たちから私は3度同じ言葉を聞いた。

「誰を憎めばいいのかわからない世の中になってしまった」

これは本当に悲しい言葉だと思う。

アパルトヘイト時代、黒人は白人に対する憎悪を正義として肯定できた。すべての人が平等であるという前提にもとづいた社会になって、それでも憎悪は存在するが、正義と呼べるような揺るぎなさはそこにはない。そのほころびから空虚な絶望が吹き込んでくる。「マンデラは間違っていた」という者すらいた。

マンデラは間違っていたのだろうか。ある夜、カールに尋ねた。いつもと変わらない柔らかな口調で彼はいった。

「彼はそのときのベストを尽くしていた。社会もそれを良しとした。それだけなのだと思う。実際に何が起こるかなんて、蓋を開けてみなければわからない。あのとき私たちはアパルトヘイトを終わらせる必要があった。あれは始まりではなく、終わりに過ぎない」

では、あれからの25年で何が始まったというのか。共通の理念も、共通の敵も持ち得ない社会はどのように団結し、どこへと向かえばいいのか。

この疑問を掲げた時、現在の南アが抱える問題がひとつ明確になる。

それは物語の不在だ。

貧困の解消も、犯罪対策も、差別の是正も、すべて南アにとって喫緊の課題であるが、それらは過去との戦いに過ぎない。アパルトヘイト時代に根を持つ宿痾を打倒しても、自動的に未来がやってくるわけではない。未来を描くための物語を紡ぎだす、別の営みが必要だ。

そしてこう考えると、我々の社会もまた同じ問題を抱えているのではないかという思いに行き当たる。

現在、次の物語を紡ぎ出すことに多くの国が苦慮している。「偉大なアメリカを取り戻す」と謳う億万長者が大統領になり、国境に壁をつくろうと躍起になっている移民国家。グローバリズムに対抗するため、EUからの離脱を決めたかつての世界帝国。それはかつての物語への回帰であり、新たな物語の創出ではない。日本も例外ではない。失われた20年と称された平成が過ぎ去り、令和という時代を迎えてなお、私たちが見据えるべきものはいまだはっきりとしない。

この25年で南アは「普通の国」になったのかもしれない。それは結果的に、私たちのほうが南アの状況に近づきつつあるということかもしれない。

国家や社会は、戦争やテロといった具体的な危機を前にすれば団結し、それを乗り越えることができる。だが、団結の核になり得ないという点で「物語の不在」という問題は一線を画す。これまで人類のほとんどが経験したことのない新たな危機がそこにある。

おわりに

ケニアの国民的作家にビンヤバンガ・ワイナイナという人があって、彼が2005年に発表した「アフリカの書き方（How to write about Africa）」というエッセイがとても印象深い。一部を抜粋・意訳すると次のようなものになる。

タイトルには「アフリカ」「暗黒」「サファリ」といった単語を使いなさい。「ゲリラ」「悠久」「原始」「部族」なども好ましい。

その人物がノーベル賞を受賞していない限り、身なりのきちんとしたアフリカ人の写真を本の表紙に使ってはいけない。AK47突撃銃やアバラ骨の浮き出た肉体、胸をむき出しにした女性などの写真が適切だ。

本文では、アフリカをあたかもひとつの国のように扱うように。詳細で正確な説明をしてはいけない。アフリカ大陸には54の国家があり、砂漠からジャングル、高地、サバンナといった様々な環境が広がり、約9億の多様な人々がいるが、彼らは飢えや死、紛争、移民などで忙しいのであなたの本を手に取ることはない。あなたの読者もそのような多様性は気にかけない。だから文章はできるかぎりロマンチックで感情に訴えかけるように、そしてあいまいに書くべきだ。アフリカは哀れまれ、崇拝され、支配されるものだ。あなたがどのような視点からアフリカを描くにしても、あなたがその本を書かなければ「アフリカは破滅する」という印象を読者に与えなさい。

扱ってはいけない話題もある。多くの人が馴染みあるような日常の光景、アフリカ人同士の色恋沙汰（死にゆく運命にある者ならば例外）、アフリカ人の作家や知識人について言及すること、そして風土病やエボラ出血熱に感染しておらず、女性器切除も受けていない子供が普通に学校教育を受けている事実などだ。

そして本の締めくくりには必ずネルソン・マンデラの発言を引用すること。なんでもよい。彼が「虹」か「再生」について語ったことなら。

すがすがしいほどの皮肉である。

本書の取材と執筆をしている間、ずっとこの記事が頭にあった。

たしかにメディアがアフリカを取り上げるとき、紛争、飢餓、貧困、犯罪、疾病といったネガティブな問題ばかりに焦点が当たりがちだ。結果としてある種のステレオタイプが形成され、多くの人がアフリカを災厄のデパートのように考えている。私たちとは関係のない、はるか彼方の異世界であると。